SEGREDOS DO EGITO

1ª Impressão 2022

Presidente: Paulo Roberto Houch
MTB 0083982/SP

Coordenação Editorial: Priscilla Sipans
Coordenação de Arte: Rubens Martim (capa)
Edição: Ana Vasconcelos (ECO Editorial)
Diagramação: Patrícia Andrioli
Imagens: Shutterstock

Foi feito o depósito legal.

Dados Internacionais de Catalogação na Publicação (CIP)
de acordo com ISBD

C532s Chicolet, Cassia

Os Segredos do Egito / Cassia Chicolet. - Barueri : Camelot Editora, 2022.
144 p. ; 15,5cm x 23cm.

ISBN: 978-65-80921-36-2

1. História. 2. Egito. I. Título.

2022-2769 CDD 962
CDU 94(32)

Elaborado por Vagner Rodolfo da Silva - CRB-8/9410

Direitos reservados ao
IBC — Instituto Brasileiro de Cultura LTDA
CNPJ 04.207.648/0001-94
Avenida Juruá, 762 — Alphaville Industrial
CEP. 06455-010 — Barueri/SP
www.editoraonline.com.br

SUMÁRIO

Apresentação 5

CAPÍTULO 1 - A civilização egípcia 7

CAPÍTULO 2 - Dinastias.. 27

CAPÍTULO 3 - Religião 47

CAPÍTULO 4 - O Livro dos Mortos 63

CAPÍTULO 5 - Orações e hinos egípcios 71

CAPÍTULO 6 - Os mitos egípcios.................................. 83

CAPÍTULO 7 - Simbolismo 89

CAPÍTULO 8 - Os deuses egípcios............................... 93

APRESENTAÇÃO

A civilização egípcia existiu por cerca de 30 séculos, uma das mais longas de todos os tempos. Heródoto, o fundador da História, afirmou que o povo do Egito era o mais feliz do mundo. Regidos por um rei divino, o faraó, devotos de uma religião calcada na crença da existência depois da morte, construtores de monumentos grandiosos, compiladores de conhecimento por meio da escrita, os egípcios e sua cultura são um dos temas mais fascinantes da caminhada do homem através das Eras.

Este livro busca trazer um pouco disso tudo, apresentando a história, os mitos e os deuses do antigo Egito, ilustrados com a iconografia produzida pelos artistas originais, há milhares de anos.

1

A CIVILIZAÇÃO EGÍPCIA

SURGIDA AO LONGO DO RIO NILO, A CIVILIZAÇÃO EGÍPCIA PÔDE SE DESENVOLVER GRAÇAS À NATUREZA LOCAL, QUE, DEVIDO À FERTILIDADE E ABUNDÂNCIA DE RECURSOS, PERMITIU QUE ESSA CULTURA PROSPERASSE E CONTINUASSE POR MAIS DE 3 MIL ANOS

A civilização do Egito desenvolveu-se em uma região cercada de desertos, a leste e oeste, delimitada pelo Mediterrâneo, ao norte, e a Núbia, ao sul, através de uma área longa e estreita, às margens do Rio Nilo. Era uma faixa de mais de mil quilômetros de extensão, mas que raramente excedia trinta quilômetros de largura, e que se dividia naturalmente em Alto e Baixo Egito.

O Nilo ameniza o clima seco do deserto. As inundações do rio fertilizam as margens, criando condições excepcionais para a agricultura. Assim, aquela estreita faixa de terra foi suficiente para iniciar uma grande civilização. A lama, trazida das terras altas do interior e ali depositada, facilitou o cultivo de grãos. Era uma região de fácil manuseio. Os egípcios não precisaram executar trabalhos de recuperação de terras, e o Nilo era um rio manso. Embora transbordasse todos os anos, fazia-o de forma previsível. Suas inundações não eram desastres repentinos e destruidores. Ao contrário, eram bastante regulares, o que permitia estabelecer um padrão para o ano agrícola.

A ocupação dessa área se deu a partir do sexto milênio a.C., recebendo levas de diferentes povos. A etnia dos egípcios resulta da mistura desses grupos humanos que, desde tempos pré-históricos, miscigenavam-se entre si. Lentamente, os primeiros egípcios transformaram as margens lodosas do rio num oásis comprido e isolado, cercado de desertos e montanhas. O Nilo era como um relógio, regulando os eternos ciclos que moviam a vida do povo que habitava as suas margens.

Por volta de 3300 a.C., um número considerável de pessoas já vivia ao longo de uma faixa de cerca de 500 quilômetros no Baixo Nilo, em aldeias e povoados próximos uns dos outros. As pessoas organizavam-se em clãs. Esses egípcios primitivos construíam barcos de junco, trabalhavam a pedra e usavam o cobre, transformando-o em utensílios para uso diário. As cidades demoraram a se desenvolver, provavelmente porque não havia ameaças de invasores, o que implicava que os agricultores não precisavam refugiar-se na cidade para protegerem-se. Em meados do quarto milênio, começaram a manter contato com outras áreas, especialmente a Mesopotâmia.

A CIVILIZAÇÃO

Os egípcios desenvolveram uma civilização complexa, que funcionou com eficiência durante a maior parte de seus 3 mil anos de

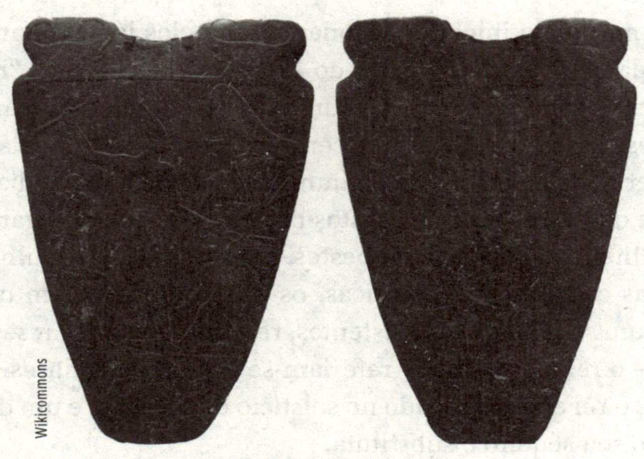
Wikicommons

As duas faces da Paleta de Narmer, placa cerimonial datada entre 3100 e 3200 a.C.

duração. A história egípcia teve cinco fases principais até desaparecer gradualmente sob o domínio romano, quando o cristianismo passou a ser a religião do Império.

A civilização egípcia teve, inicialmente, sua sede em Mênfis, capital do Antigo Reino. Mais tarde, no Novo Reino, a capital se estabeleceu em Tebas. As duas cidades foram grandes centros religiosos e tinham um complexo de palácios, em lugar de um centro urbano, propriamente dito. De fato, os templos e edifícios administrativos, bem como a residência real, determinavam, no primeiro momento, o espaço urbano.

O FARAÓ

Embora a máquina administrativa consistisse das autoridades civis, eclesiásticas e militares, a ideia que os egípcios tinham de Estado era diferente daquilo que hoje concebemos. Tinham, na verdade, a ideia do que pertencia ao faraó e, até certo ponto, aos templos. O faraó, considerado uma divindade, a encarnação do deus solar Hórus, era uma figura-chave, o centro da vida egípcia. Ele era responsável pela continuidade entre o divino e o humano, o cósmico e o social. Durante a maior parte da história do Egito antigo, todos os poderes sociais, até mesmo a autoridade sacerdotal, derivavam do faraó e eram por ele delegados.

Num estágio inicial, os monarcas egípcios já possuíam grande autoridade. O aspecto divino do faraó originou-se nos "reis" pré-históricos, que tinham uma função diferente dos monarcas posteriores. Esses "reis" eram sacerdotes, responsáveis pela saúde e prosperidade da terra e da comunidade que dela dependia. Acreditava-se que esses reis – e os ritos por eles presididos – garantiam a boa colheita, a ausência de pestes, a fertilidade das mulheres. Em diversas culturas pré-históricas, os reis representavam o Sol e tinham um séquito de 12 assistentes, relacionados aos meses solares. Os 13 – o rei e o séquito – referiam-se aos meses lunares. Normalmente, o rei era sacrificado no solstício de inverno, e um dos membros do seu séquito o substituía.

Outra peculiaridade dessa função primeva do rei era um rito para garantir a fertilidade da terra. Uma vez por ano era celebrado esse ritual, no qual os deuses e deusas da fertilidade – na verdade, sacerdotes e sacerdotisas vestidos como divindades – mantinham relações sexuais. O rito era encenado pelas sociedades agrícolas da região que ia da Mesopotâmia à Irlanda e continuou a existir em muitos desses lugares até cerca de 500 d.C. Os gregos chamavam o ritual *Hieros Gamos*, ou "casamento sagrado", parte central do antigo paganismo.

Wikicommons

Máscara mortuária de Tutancâmon, um dos faraós mais famosos do Egito

O festival começava com uma procissão em celebração ao casamento sagrado, seguida por uma troca de presentes. Então, havia um rito de purificação e a festa, propriamente dita. Depois, a câmara nupcial era preparada, onde, à noite, o sacro-casal se reunia para executar a união do deus e da deusa através do ato sexual. Às vezes o deus ou deusa se "casava" com um ou uma mortal; outras, era o rei que desposava uma mulher que simbolizava a Terra, a qual dependia da sua força masculina para frutificar.

No Egito essas crenças subsistiam, embora modificadas, na figura do faraó, responsável pela fecundidade da terra e pelo bem-estar do povo. Era ele quem controlava as cheias anuais do Nilo – o que equivalia a controlar a vida das comunidades que dependiam do rio. Os primeiros rituais de responsabilidade do faraó relacionam-se à fertilidade, à irrigação e à recuperação da terra. As representações de Menés, o fundador do Egito, mostram-no cavando um canal.

No entanto, numa civilização que se estendeu por 3 mil anos, a ideia de natureza divina do rei teve diferentes sentidos. Os egípcios tinham, de fato, consciência de que o faraó era um ser mortal e sujeito a todas as fraquezas da condição humana. Reconheciam os governantes excepcionais e tinham consciência de que outros eram muito fracos. Assim, a crença na natureza divina do faraó não interferia na percepção do seu aspecto humano. No Antigo Reino, considerava-se que a monarquia e o próprio Egito tinham origem divina. O faraó tornava-se uma das manifestações de Hórus, sem, no entanto, perder as características humanas. Acreditava-se que a justiça era o que o faraó amava, e o mal, aquilo que ele odiava. Ele possuía onisciência divina e, portanto, não precisava de um código de leis para guiá-lo.

RIVALIZANDO COM O FARAÓ

Os sacerdotes e burocratas profissionais, incluindo os do exército, eram as duas categorias básicas das pessoas alfabetizadas. A burocracia parece ter perdido a sua independência e importância na política no decorrer do Período Raméssida, sendo substituída pelo exército e pelo clero (muitas vezes uma só entidade). Assim, o clero tornou-se o repositório da cultura intelectual. No Período Tardio, os sacerdotes adquiriram uma importância cultural mais vasta. Os visitantes gregos falavam deles com frequência e influenciavam os acontecimentos, sobretudo pela mobilização da opinião pública contra cortes nos seus rendimentos.

No Médio Reino, devido à crise causada pela revolta dos nomarcas (governantes dos nomos) que tentaram desestabilizar a imagem do faraó, o rei do Egito perdeu, em certa medida, os poderes divinos da sua função e passou a representar a humanidade diante dos deuses. No entanto, no Novo Reino, o faraó voltou a ser considerado fisicamente o filho de Hórus, ou Ré, que tinha assumido o aspecto do rei para gerar na rainha o faraó seguinte.

O aspecto belicoso do faraó, como senhor da guerra, foi incorporado, nessa época, à iconografia. No Novo Reino, o faraó passou a ser representado como um grande guerreiro, enfatizando sua característica marcial. Aparecem nos monumentos em seus carros de guerra esmagando os inimigos ou caçando feras. Um registro deixado por um funcionário do faraó testemunha a visão que os egípcios tinham do soberano nesse período: "Ele é um deus a quem devemos a vida, pai e mãe de todos os homens, único e sem igual".

No Período Helenista, com a decadência do Egito e o declínio da monarquia, a origem divina do rei acabou sendo apenas uma doutrina para legitimar quem ocupasse o trono, principalmente os monarcas de origem estrangeira.

AS CLASSES SOCIAIS

O historiador grego Heródoto descreveu sete classes sociais no Egito: sacerdotes, militares, criadores de gado, criadores de porcos, mercadores, intérpretes e pilotos (de barcos). Os historiadores modernos, distinguem, porém, quatro classes: uma classe superior, que incluía a família real, a nobreza, os altos funcionários, os grandes sacerdotes e os generais; uma classe média, com funcionários de nível intermediário, sacerdotes, comerciantes e fazendeiros; uma classe baixa, composta de artesãos e camponeses livres; e, por fim, os escravos.

Devido ao costume de os reis egípcios manterem várias esposas e grande número de concubinas, uma parte importante da nobreza era composta pelos descendentes e parentes do faraó.

Os sacerdotes garantiam, por serem porta-vozes dos deuses, o poder real. Eram, também, a polícia secreta e mantinham a ordem social. O historiador grego Heródoto descreveu-os em seu livro *Istories*: "Eles são, dentre todos os homens, os mais excessivamente atentos ao culto dos deuses e observam as seguintes cerimônias (...) Usam roupa de linho constantemente lavadas (...) São circuncidados para o bem da higiene, acham melhor serem limpos do que belo. Depilam o corpo inteiro a cada terceiro dia para que não se acumulem piolhos nem outras impurezas (...) lavam-se com água muito fria, duas vezes ao dia e duas vezes à noite". Os altos líderes religiosos conheciam os nomes dos deuses, os quais eram secretos, pois esse conhecimento permitia invocar o poder da divindade.

Por conta de controlar a crença do povo e beneficiar-se da dependência que o faraó tinha de seu apoio, os sacerdotes tornaram-se, com o passar do tempo, mais ricos e mais poderosos do que a aristocracia e, em certos momentos da história do Egito, do que a família real. Educavam os jovens, acumulavam e transmitiam conhecimento e tradição e disciplinavam com zelo e rigor. Os tributos e impostos pagos aos templos permitiram que tais templos chegassem a possuir um terço de todas as terras ao longo do Nilo.

A terceira classe social importante era a dos camponeses, que constituíam grande parte da população, fornecendo mão de obra para as grandes obras públicas e o excedente da sua produção agrícola, que sustentava as classes nobres, a burocracia e a grande estrutura religiosa. Esses camponeses eram, inicialmente, servos que trabalhavam nas propriedades do monarca ou dos grandes templos.

Wikicommons

Trabalhadores egípcios sendo circuncidados

Na terra fértil, cultivavam, com técnicas que melhoravam cada vez mais com aperfeiçoamentos na irrigação, hortaliças, cevada e um tipo de trigo, o trigo *emmer* – as principais colheitas e se estendiam ao longo dos canais de irrigação.

Além de trabalharem a terra, os camponeses eram recrutados para o serviço militar e para trabalhar em obras públicas. Com a revolução que ocorreu no Primeiro Período Intermediário, que compreende as sétima, oitava, nona, décima e 11ª dinastias, e na qual o poder do Egito era governado paralelamente por mais de uma dinastia, as famílias camponesas recebiam terras para cultivar pagando um tributo que constituía numa parte da colheita. O senhor dessas terras eram, porém, o faraó, um templo, um nomarca ou algum latifundiário.

A quarta classe social era formada pelos escravos, essencialmente prisioneiros de guerra que o rei dava a seus soldados como recompensa pelo seu desempenho militar. Além dos trabalhadores livres, a produção de bens também era realizada por escravos, sob as ordens dos nomarcas. As guerras forneciam milhares de prisioneiros que eram, em sua maioria, vendidos como escravos, cujo trabalho facilitou a exploração das minas e a construção dos monumentos grandiosos característicos da civilização egípcia.

Contudo, a escravidão não tinha grande importância para a economia egípcia. Os escravos gozavam de certa proteção legal e podiam ser libertados. Também não era incomum que os pobres se vendessem como escravos para garantir a alimentação e moradia da família.

AS EGÍPCIAS

As mulheres egípcias tinham, em geral, mais independência e uma condição mais elevada do que os membros do seu gênero em outras civilizações. A arte egípcia representa as damas da corte vestidas com belos trajes de linho, cuidadosamente penteadas e adornadas de joias, usando cosméticos especiais, a cuja oferta os mercadores locais devotavam grande atenção. Outra evidência que atesta o relevo da mulher na sociedade egípcia são representações dos faraós e de suas rainhas – bem como, de outros casais nobres –, retratados com uma correlação de sentimentos que sugere verdadeira igualdade emocional.

De fato, a liberdade das egípcias deixou os viajantes gregos, que confinavam suas mulheres, chocados. Os helenos ficaram admirados ao constatarem que as egípcias podiam exercer publicamente suas atividades sem serem molestadas ou perseguidas. Podiam dispor de seus bens e tinham seus direitos legais garantidos.

As belas mulheres, como Nefertiti, esposa de Akhenaton, representadas em pinturas e esculturas, refletem o poder conquistado pelo seu gênero, indicando influência política, inexistente em muitos outros lugares. Muitas vezes o poder era transmitido pela linhagem feminina. Uma herdeira conferia ao marido o direito à sucessão, o que resultava em grande preocupação com o casamento das princesas. Muitos casamentos reais uniam irmão com irmã. Alguns faraós casaram-se com as próprias filhas, por vezes, mais para evitar que alguém se casasse com elas do que para preservar seu sangue divino. Algumas consortes exerceram poder e uma delas, Hatshepsut, fazia questão de comparecer nos rituais com a barba cerimonial postiça, envergando roupas masculinas e ostentando o título de faraó.

Shutterstock.com

Estátua da rainha Hatshepsut

A princesa Nefertiabet (2590 a.C.)

AS MULHERES EGÍPCIAS, DE WILL DURANT

Em seu livro *Heroes of History*, o historiador americano Will Durant descreve assim as mulheres egípcias: "Elas usavam todos os recursos cosméticos, chegado a pintar as unhas e os olhos; algumas cobriam de joias o colo, os braços e os tornozelos. Falavam de sexo de maneira direta, rivalizando-se com as mulheres mais livres dos dias de hoje; podiam tomar a iniciativa de cortejar, e o marido só podia pedir o divórcio se a mulher cometesse adultério comprovado, ou mediante uma liberal compensação".

Também há grande presença feminina no panteão egípcio, notadamente no culto a Ísis. A literatura e as artes pictóricas enfatizavam o respeito pela esposa e pela mãe. Algumas mulheres sabiam ler e escrever e há uma palavra egípcia para designar a mulher escriba, embora, de fato, não houvessem muitas ocupações fora do lar exercidas pela mulher, a não ser as de sacerdotisa ou prostituta.

A ADMINISTRAÇÃO DO IMPÉRIO

O império era dividido em províncias, ou "nomos". Havia 20 nomos no Baixo Egito e 22 no Alto Egito. Sua administração era feita por nomarcas nomeados pelo faraó, mas que buscavam tornar-se

O ESCRIBA

Uma figura vital na administração do Egito era o escriba, responsável pela redação de documentos e administração de serviços do governo. A importância do escriba e sua relevância na administração do império são retratadas na famosa estátua de pedra O Escriba, exposta no Museu do Louvre. Sentado no chão à maneira oriental, vestindo apenas um saiote de tecido branco tem uma caneta de junco atrás da orelha, como reserva para a que está usando. Os rolos de papiro que manuseia provavelmente registram relações de trabalhos executados e mercadorias pagas, preços e custos, lucros e perdas, impostos devidos e a pagar ou contratos e testamentos que ele redigiu. "Sua vida é monótona, mas ele valoriza seu papel, escrevendo ensaios sobre o sofrimento que o trabalhador manual enfrenta e sobre a dignidade do escriba, cujo alimento é o papel e o sangue, a tinta", escreve Will Durant.

Wikicommons

Escriba (1450 a.C.)

senhores hereditários. Os escribas administravam o império sob supervisão do faraó, do clero e dos nomarcas. Assim organizado, o governo cobrou impostos, acumulou capital, criou um sistema de crédito, distribuiu recursos para a agricultura, a indústria e o comércio, e até mesmo desenvolveu um serviço postal.

À frente dos diferentes ministérios, havia um vizir, intermediário entre o faraó e as repartições governamentais. A função do vizir teve início logo no princípio da civilização egípcia, consolidando-se na sexta dinastia. O vizir atuava como magistrado, supervisionava as finanças, as obras públicas, os arquivos governamentais e a alfândega.

Depois da sexta dinastia, o poder do vizir passou a ser nominal e só foi restaurado no Médio Império. Em certas épocas, houve dois vizires, um responsável pelo Alto Egito e outro, pelo Baixo. Sob a autoridade do vizir também estava a administração das províncias, os *nomos*, governadas pelos nomarcas nomeados para tanto.

O vizir também era responsável pelos quatro grandes departamentos em que se dividia a administração do império. O primeiro desses departamentos era o Tesouro, que recolhia os impostos e administrava a economia. O segundo era o da Agricultura, dividido em um setor dedicado à pecuária e outro, à agricultura. O terceiro era o Arquivo Real, que mantinha os títulos de propriedade e os registros civis. O quarto departamento, o da Justiça, tinha como responsabilidade a aplicação das leis.

No Novo Império, o Egito possuía uma elaborada hierarquia de burocratas. Em geral, os mais importantes vinham da nobreza. Alguns desses burocratas foram sepultados com uma pompa que rivalizava à do faraó. Famílias menos eminentes forneciam milhares de escribas para o quadro de funcionários da máquina de governo. Esses escribas, que tinham papel de destaque na administração do império, eram treinados em uma escola especial, em Tebas. Suas características principais podem ser conhecidas por meio de textos que elencam as aptidões necessárias para se ter sucesso como escriba: dedicação aos estudos, autocontrole, prudência, respeito aos superiores, atenção extrema à inviolabilidade dos pesos e medidas e propriedade de normas legais.

Shutterstock.com

Interior do Templo de Dendera evidencia as aprimoradas técnicas arquitetônicas egípcias

Os conflitos de classes eram comuns. Um papiro registra a reivindicação de alguns trabalhadores ao supervisor: "Fomos trazidos para cá pela fome e pela sede; não temos roupas, azeite nem comida. Escreve para o nosso amo, o faraó, e para o governador, que está acima de nós, para que eles nos deem algo para o nosso sustento". Não houve, porém, uma revolução de classes – a não ser que se considere o êxodo dos judeus como tal.

O EXÉRCITO

No Antigo Reino e no início do Médio Reino, o Egito não dispunha de um exército permanente. Cada nomo tinha sua própria milícia, e as grandes propriedades dos templos, sua força policial. As forças egípcias contavam com uma marinha, que se limitava ao Nilo. Havia numerosas forças auxiliares, com núbios, líbios e berberes. Quando havia necessidade, faziam-se campanhas de recrutamento, e cada vila precisava contribuir com um contingente de determinado tamanho.

Depois da crise do Médio Reino, que resultou no maior desenvolvimento das forças egípcias, o Exército passou a ser mais bem organizado. A partir dessa época, foi criado um corpo de carros, puxados por dois cavalos, levando dois homens: um condutor e um soldado. No tempo de Ramsés II, o exército passou a ser dividido em quatro corpos: Amon, Re, Ptah e Set. Cada um deles tinha 5 mil homens, agrupados em 20 companhias, subdivididas, por sua vez, em cinco grupos de 50 homens. As companhias eram lideradas por oficiais profissionais e os grupos, por militares de nível equivalente ao de sargento. Dois escribas administravam o exército, sendo um responsável pela tropa e outro pelas provisões. Cada companhia tinha seu próprio escriba encarregado da organização.

GRANDES CONSTRUTORES

Os egípcios destacaram-se principalmente pela sua arquitetura e tendência de construir monumentos grandiosos. Sua arte pictórica mostrou-se pouco criativa. Colocada a serviço da religião, era fixada num padrão comum, característico por mostrar a imagem com o torso de frente e os pés e cabeça voltados para outra direção.

De fato, o nascimento das primeiras civilizações inaugurou, igualmente, o esforço da construção de obras colossais, em espe-

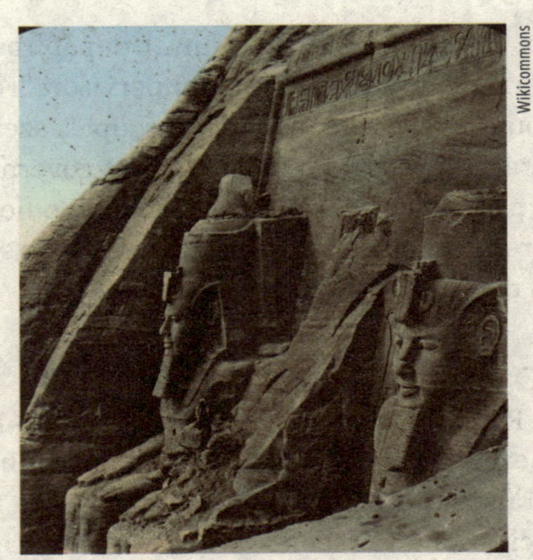

Wikicommons

Fachada do colossal templo de Abu-Simbel

cial religiosas. Conforme escreveu o historiador britânico J.M. Roberts, "nas primeiras cidades, a riqueza produzida pela agricultura foi usada para manter as classes sacerdotais, que elaboravam complexas estruturas religiosas e encorajavam a construção de grandes prédios com funções mais do que meramente econômicas". Assim, no alvorecer da civilização, os arquitetos e construtores estiveram vinculados aos representantes das religiões locais e aos reis e governantes. Formavam um elo muito íntimo com imperadores e sacerdotes, conforme relatam textos antigos, inclusive a Bíblia.

Essa intimidade com os círculos de poder garantiu uma posição elevada a eles. Mais do que riquezas e prestígio, os arquitetos adquiriram conhecimentos técnicos e desenvolveram tecnologias que os tornaram lendários em uma época em que ciência significava magia. Alguns construtores eram tidos até mesmo como filhos de deuses. De fato, as construções promovidas pelos sacerdotes e pelos reis e executadas pelos construtores resultaram, especialmente com o desenvolvimento da escrita, em um acúmulo de cultura que, segundo o historiador britânico J.M. Roberts, "se tornou mais efetivamente um instrumento para mudar o mundo".

Havia uma hierarquia a ser respeitada e o aprendizado era feito por meio de iniciações. Os construtores da Antiguidade admitiam iniciantes na categoria, que começavam na condição de aprendizes. Depois de demonstrarem habilidade, comportamento ético, disciplina e outras exigências, esses aprendizes eram gradualmente "iniciados" nos conhecimentos e práticas secretas da arte. Não se tratava, porém, de uma única iniciação, mas de várias. A cada uma delas, novas técnicas e conceitos eram ensinados.

Até cerca de 1800 a.C., a engenharia egípcia suplantou qualquer outra. Entre seus grandes feitos, construiu canais unindo o Nilo ao Mar Vermelho e transportou através de grandes distâncias pedras e obeliscos que pesavam milhares de toneladas, além das colossais Pirâmides de Gizé.

As casas e construções agrícolas eram feitas de adobe e não pretendiam desafiar a eternidade. No entanto, os palácios, túmulos e memoriais dos faraós eram outra questão – uma questão de afirmação da magnitude da civilização egípcia e de seu rei-deus.

Sob a direção de um escriba, milhares de escravos e, por vezes, regimentos de soldados eram destacados para cortar e colocar em posição manualmente enormes blocos de pedra adornados, muitas vezes entalhados e pintados de forma elaborada. Para tanto, usavam, primeiro, ferramentas de cobre e, depois, de bronze. Não dispunham de guindastes, roldanas ou moitões, mas valiam-se de alavancas e plataformas móveis, além de enormes rampas de terra, pelas quais elevavam as pedras ao topo da construção. Dessa forma, os egípcios produziram monumentos que, ainda hoje, surpreendem e intrigam pelo tamanho e dificuldade técnica. Entre suas contribuições para a arquitetura estão, além da coluna, o arco, a abóbada, o capitel,o arquitrave e o frontão triangular.

AS PIRÂMIDES

Os mais famosos monumentos egípcios são, sem dúvida, as pirâmides, que dominam o grande complexo de construções destinadas a abrigar o rei depois de sua morte. Os primeiros desses monumentos eram formados por degraus, que nada mais eram que "mastabas" empilhadas. Essas mastabas, cujo nome deriva do árabe *maabba*, "banco de pedra", eram túmulos em forma de uma base de pirâmide, construídos desde a primeira era dinástica.

A primeira pirâmide foi construída por volta de 2700 a.C. e as maiores pirâmides foram construídas em Gizé, durante a quarta dinastia. A pirâmide de Quéops, também chamada de Grande Pirâmide, demorou 20 anos para ser concluída, empregando entre 5 e 6 milhões de toneladas de pedras que foram levadas até o local de uma distância de até 800 quilômetros. Projetada para ter 146 metros de altura, equivalente a um prédio de 50 andares, exigiu o emprego de aproximadamente 100 mil trabalhadores, incluindo escravos e agricultores arregimentados quando as enchentes estavam no ápice, impedindo-os de trabalhar a terra.

A pirâmide foi construída com rigor geométrico. A colossal construção está perfeitamente orientada, e os seus lados, de cerca de 230 metros de comprimento, variam menos de 12 centímetros. Foi a estrutura mais impressionante até então construída no mundo.

Apesar de serem a marca do Egito e por, ainda hoje, intrigarem as pessoas, as pirâmides não representavam grande avanço em termos de elaboração arquitetônica. Sua construção foi significativa mais por causa do tamanho colossal e do esforço empreendido para erigi-las do que por conta de sua sofisticação. Alguns estudiosos sustentam que as pirâmides são, de fato, primitivas.

Wikicommons

Esfinge de Gizé, com a pirâmide de Quéfren ao fundo

Wikicommons

Pirâmide de Saqqara

As pirâmides não foram, porém, os únicos grandes monumentos erguidos pelos antigos egípcios. Em outros locais, havia grandes templos, palácios, além dos túmulos dos Vales dos Reis. Perto da pirâmide do faraó Quéfren (2550 a.C.) encontra-se um dos monumentos mais conhecidos e misteriosos da humanidade, a esfinge. Não se sabe ao certo quem construiu a esfinge. Muitos acreditam que foi Quéfren quem ordenou a seus artistas e artesãos que entalhem uma figura imponente, símbolo de seu poder, com o corpo de leão e a cabeça do próprio faraó.

CIÊNCIA

Apesar das grandes obras realizadas pelos antigos egípcios, elas demandavam um conhecimento científico básico. Eles usaram, de fato, a matemática, mas não a desenvolveram. O filósofo britânico Bertrand Russel comenta esse aspecto, ao tributar aos gregos a invenção das ciências. "Grande parte daquilo que a civilização apresenta, já existiu há milhares de anos no Egito e Mesopotâmia e daí foi transmitido aos países vizinhos", escreve ele em *História da Filosofia Ocidental*. Mas observa que foram os gregos que introduziram alguns elementos novos, que estavam ausentes até então. "Os gregos inventaram a matemática, a ciência e a filosofia; eles, pela primeira vez, escrevem história como oposição aos anais; eles raciocinam livremente sobre a natureza, o mundo e os fins da vida, sem ficarem presos nas correntes de qualquer ortodoxia herdada".

Com efeito, embora a agrimensura egípcia fosse altamente capacitada e os funcionários públicos do império fossem perfeitos engenheiros civis, a matemática elementar era suficiente para erguer os monumentos que eles construíram. Bastava competência na mensuração e conhecimentos de algumas poucas fórmulas para calcular volume e peso. "Os egípcios não rivalizavam com os babilônios nas ciências", escreve J.M. Roberts. Sua "única realização consciente foi o calendário", afirma o historiador.

Outros autores discordam, apontando avanços em outras áreas. "Na medicina, os egípcios, provavelmente, lideraram o mundo de então", escreve Geoffrey Blainey, autor de *Uma Breve História do Mundo.* A mágica e o conhecimento prático da medicina e de drogas mesclavam-se. Boa parte do conhecimento do corpo humano vinha da prática da mumificação, quando se manuseava o cadáver e seus órgãos internos. Os egípcios desenvolveram métodos eficientes em ortopedia, cirurgia, farmácia e, possivelmente, foram os primeiros a usar ataduras e talas. Há evidências de que as trepanações que realizavam para aliviar a pressão craniana resultante de traumas foram bem-sucedidas. Segundo Homero, em *A Odisseia,* os médicos egípcios eram os melhores de seu tempo.

O CALENDÁRIO EGÍPCIO

Uma grande contribuição dos egípcios foi a introdução do seu calendário. O desenvolvimento do calendário veio da necessidade que as primeiras civilizações tinham de medir períodos por causa da agricultura, religião, negócios, ou para determinar sua cronologia. O primeiro calendário a satisfazer essas necessidades foi o egípcio, que mais tarde foi aperfeiçoado pelos romanos no calendário juliano, usado na Europa por mais de 1500 anos.

Os antigos egípcios usavam um calendário lunar e o sincronizavam com um calendário sideral. Para isso, observavam a aparição sazonal da estrela Sirius, que eles chamavam de Sótis. Esse ciclo corresponde ao ano solar, sendo apenas 12 minutos mais curto. Para sincronizar os dois calendários, os egípcios adotaram um ano civil de 360 dias dividido em três estações com quatro meses de 30 dias e intercalavam cinco dias ao longo desse ano. Esse calendário civil servia para propósitos administrativos e governamentais, enquanto o calendário lunar continuava a regular os assuntos do cotidiano e da religião. Mas por causa da discrepância entre esses calendários, que a cada quatro anos se dessincronizavam um dia, os egípcios estabeleceram um segundo calendário lunar baseado no ano civil, em vez da observação da estrela Sótis, com a intercalação de um mês toda vez que o primeiro dia do ano lunar caía antes do primeiro dia do ano civil. Esse calendário era usado para determinar os festivais religiosos. O outro calendário lunar foi mantido e aplicado à agricultura. Assim, os egípcios passaram a usar três calendários diferentes, cada qual com um propósito específico. A única unidade maior do que o ano era o reinado de um faraó. Como os babilônios, os egípcios também usavam anos régios para denominar um período, estipulando sua cronologia como “ano um, dois, etc., do Faraó Neco ll”, por exemplo. A cada novo regente, a conta voltava ao ano um.

Wikicommons

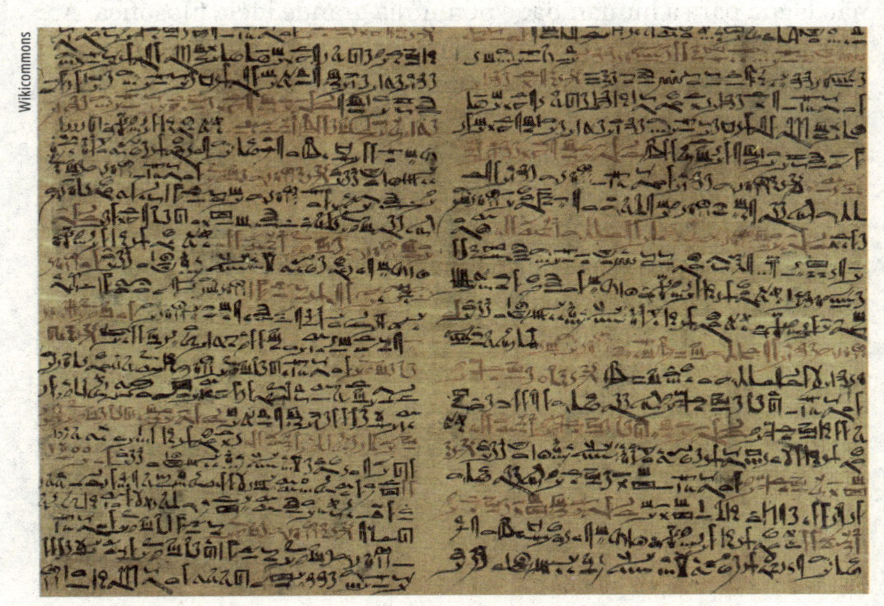

Papiro de Edwin Smith, importante documento médico do Antigo Egito

O ano civil era dividido em três estações: Inundação, quando o Rio Nilo transbordava sobre as terras agrícolas; Saída, quando o Nilo voltava ao seu leito e o plantio tinha início; e Deficiência, época de águas baixas e da colheita. Os meses eram numerados conforme a estação que pertenciam, "segundo mês da Inundação", por exemplo. O dia era contado a partir do nascer do sol e era dividido em horas desiguais que variavam conforme a época do ano. Usavam clepsidras (relógios de água) e relógios de sol para marcá-las.

LEGADO

Apesar dos feitos colossais e da longa duração do império egípcio, essa civilização não desenvolveu os impressionantes recursos criados nos primeiros tempos. Os egípcios foram capazes de reunir recursos colossais de mão de obra e material, sob direção de funcionários civis, mas apenas para construir os maiores túmulos que a História já registrou. Do mesmo modo, sua arte refinada era usada quase exclusivamente para adornar monumentos. Sua elite, altamente instruída, usando uma escrita complexa e tendo no papiro um material barato de grande poder de difusão de informação, do qual serviu-se para registrar textos burocráticos e inscrições, não legou para a humanidade nenhuma grande ideia filosófica. Até mesmo os poderes militar e econômico do Egito pouco influíram no mundo de modo permanente; tampouco sua civilização se expandiu para o exterior.

Mesmo assim, a capacidade de permanência da civilização egípcia é assombrosa - provavelmente o maior feito desse povo. Existiu por um longo período, sofrendo duas fases de eclipse, das quais recuperou-se. Essa longa permanência representa grande sucesso - um sucesso que poucas civilizações conquistaram, conforme atesta o historiador da arte Jacques Élie Faure (1873 - 1937): "É possível que o Egito, através da solidariedade e da variedade disciplinada dos seus produtos artísticos, através da enorme duração e do poder prolongado do seu esforço, ofereça o espetáculo da maior civilização já surgida na Terra".

2
DINASTIAS

A HISTÓRIA DO EGITO É MARCADA PELA SUCESSÃO DE DINASTIAS, FUNDADAS, CADA QUAL, POR UM FARAÓ QUE QUASE SEMPRE RESOLVEU UMA CRISE AO INTRODUZIR UM NOVO GOVERNO

PERÍODOS E DINASTIAS EGÍPCIAS

DINASTIAS	PERÍODO
I-II	Período Protodinástico (c.3200 – 2665 a.C.)
III-VIII	Antigo Reino (2664 – 2155 a.C.)
IX-XI	Primeiro Período Intermediário (2154 – 2052 a.C.)
XII	Médio Reino (2052 – 1786 a.C.)
XIII-XVII	Segundo Período Intermediário (1785 – 1554 a.C.)
XVIII-XX	Novo Império (1554 – 1075 a.C.)

Fonte: The Legacy of Egypt, R.A. Parker, J.R. Harris editor, Oxford, 1971)

PERÍODO PROTODINÁSTICO

Depois que os povos que viriam constituir os egípcios se fixaram ao longo do Nilo, eles estabeleceram colônias que lutavam umas contra as outras. Com o passar do tempo, formaram dois reinos, o do Norte e o do Sul. Nesse período, surgiu toda a base da cultura egípcia – a religião, os ritos funerários e a escrita, que iria se desenvolver gradualmente nos hieróglifos.

De fato, há mais informações a respeito da civilização egípcia primitiva do que qualquer outra em data tão remota. Desde os primeiros tempos, os egípcios tiveram uma forma de escrita pictográfica, isto é, que utilizava desenhos de objetos e animais, para representar uma ideia. Com o tempo, esses pictogramas passaram a representar sons e eles desenvolveram os hieróglifos. Como era difícil de escrever, a escrita hieroglífica não se espalhou além do Egito, embora seu uso tenha sido prolongado. O último exemplo conhecido dessa escrita data do século V d.C. A partir daí, perdeu-se seu domínio até sua chave ser decifrada, no início do século XIX, com a descoberta da famosa Pedra de Roseta. Essa estela é escrita em grego, demótico (um idioma egípcio que surgiu tardiamente) e com hieróglifos, o que possibilitou a tradução, abrindo caminho para o conhecimento do Antigo Egito, por conta do grande número de inscrições em túmulos, monumentos e papiros que sobreviveram até o nosso tempo.

O ANTIGO REINO (2700 - 2200 A.C.)

Por volta de 3000 a.C., o Egito já era dividido em dois impérios, o Baixo e o Alto Egito. Os relatos falam de um rei do sul chamado Menés que conquistou o norte e estabeleceu sua dinastia. Essa primeira dinastia egípcia ficou conhecida como tinita, por conta de seus membros terem vindo da vila de Tis.

Segundo a tradição, Menés, o fundador da cidade de Mênfis, reinou no Egito unificado entre 3150 e 3125 a.C. O território sob seu controle estendia-se por aproximadamente mil quilômetros ao longo do Nilo. Não se sabe ao certo o que significava esse governo, mas, conforme observou o historiador britânico J.M. Roberts, "o simples fato [de Menés] ter estabelecido o direito de governar uma área tão grande foi uma conquista impressionante". Menés deu origem a um período de cerca de 2 mil anos, ao longo do qual o Egito esteve, em geral, sob um único governante, um mesmo sistema religioso e um padrão de governo e sociedade, sem a intromissão de influência exterior. Apesar de ter havido altos e baixos nesse período, essa continuidade é surpreendente. Foi ela que possibilitou grandes realizações, cujos vestígios ainda fascinam e excitam nossa imaginação.

Uma contribuição importante ocorrida durante a primeira dinastia foi a invenção de folhas de papel feitas com papiro, o que permitiu preservar grande parte da produção artística e cultural do Egito. O papiro crescia nos brejos do Nilo. Em cerca de 2700 a.C.,

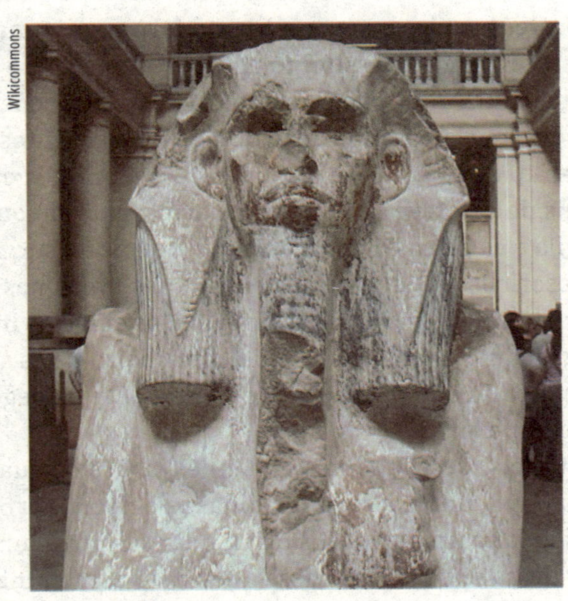
Wikicommons

Estátua de Djoser

Faraó Quéops

os egípcios transformaram o papiro em um tipo de papel espesso, semelhante ao pergaminho, pronto para receber as marcas da caneta, ou "estilo", de junco. Feita com feixes de papiro sobrepostos, dispostos entrecruzados e amassados até formarem uma folha homogênea, essa invenção possibilitou grande avanço para a humanidade, pois permitia multiplicar o registro de informações. De fato, o papel fez mais pela comunicação do que os hieróglifos. O papiro era mais barato do que a pele da qual os pergaminhos eram feitos e mais fáceis de inscrever, manipular e armazenar do que as tabuletas de argila e as placas de pedra. Pouco depois do surgimento do papiro, os escribas começaram a colar folhas umas nas outras de modo a formar um longo rolo. Dessa forma, os egípcios inventaram tanto o livro quanto o material no qual o primeiro deles seria escrito. Grande parte do que se sabe sobre o antigo Egito chegou até nós por meio do papiro.

Os reis tinitas, descendentes de Menés, sobre os quais sabe-se pouco, fundaram, ainda, a segunda dinastia egípcia. Os tinitas buscaram consolidar a união do país e defender suas fronteiras.

A partir dessa época, o rei passa a ser visto como uma encarnação de Hórus, o deus falcão, e protegido por duas deusas: Nekbet, do Alto Egito, encarnada em um corvo, e Buto, do Baixo Egito, que assumia a forma de uma cobra. O símbolo maior do rei era a coroa dupla: a branca, do Alto Egito, e a vermelha, do Baixo Egito.

As dinastias tinitas também implantaram o tipo de organização civil, militar e sacerdotal característica da civilização egípcia. O rei era aconselhado por um vizir e pelos administradores das regiões do império, os quais supervisionavam o recolhimento de impostos, a construção de obras de irrigação e de túmulos, as mastabas, que irão originar as futuras pirâmides. O exército era formado por soldados fornecidos pelas vilas, sob o comando supremo do rei e sob as ordens dos chefes das fortalezas. A classe sacerdotal também começou a se estabelecer sob Menés, com diferentes grupos de sacerdotes, como os zematis, presidindo diversos cultos.

A terceira dinastia tem sua figura central no rei Djoser (2700 a.C.), famoso pela sabedoria e por seu bom governo. Seu vizir, o arquiteto Imhotep, construiu a primeira pirâmide de pedra, em Saqqara. Um importante desenvolvimento se deu sob os reis dessa dinastia. No segundo milênio antes de Cristo, o conhecimento acumulado pelos navegantes e construtores navais sobre regimes de vento e correntes marítimas já era utilizado e, em cerca de 2650 a.C., os egípcios da terceira dinastia usaram pela primeira vez a vela quadrada, feita provavelmente de couro, nos navios de alto-mar.

FARAÓS DA TERCEIRA DINASTIA

FARAÓ	REINADO	REALIZAÇÕES
Djoser	c.2686-2649 a.C.	Erige o primeiro grande complexo funerário, em pedra, com a Pirâmide Escalonada de Sacara, projetada por seu vizir Imhotep.
Sekhemkhet	2649-2643 a.C.	Inicia a construção de um novo complexo funerário em Sacara.
Sanakht	c.2650 a.C.	–
Khaba	2643-2637 a.C.	A ele se atribui a pirâmide estratificada inacabada em Zawyet el-Aryan.
Hun	2637-2613 a.C.	Atribui-se a ele a construção da pirâmide de Meydun.

FARAÓS DA QUARTA DINASTIA

FARAÓ	REINADO	REALIZAÇÕES
Sneferu	2613-2589 a.C.	Constrói as grandes pirâmides de Dashur, termina a de Meydun e várias menores. Expedições bélicas contra a Núbia e a Líbia.
Quéops (ou Kheops)	2589-2566 a.C.	A ele é creditado a construção da Grande Pirâmide de Gizé e do complexo funerário anexo.
Djedefre	2566-2558 a.C.	Atribuem-no a pirâmide inacabada de Abu Roash. Primeiro faraó da dinastia a usar Rá em seu nome.
Quéfren	2558-2532 a.C.	Atribuem-no o complexo funerário, a segunda pirâmide e a Esfinge de Gizé.
Miquerinos	2532-2503 a.C.	Atribuem-no o complexo funerário e a terceira pirâmide de Gizé. Cresce o poder e a influência do clero de Rá.
Chepseskaf	2503-2498 a.C.	Conflito com os sacerdotes de Rá. Abandonam-se os símbolos solares funerários. Grande mastaba no sul de Sacara

A quarta dinastia marca o período clássico do Antigo Reino. Nesse período, o poder foi centralizado nas mãos do faraó. É nessa época que viveram os grandes construtores de pirâmides: Kufu (Quéops), Quéfren e Menkaure (Micerinos). A construção desses monumentos colossais, que exigiu a mobilização de imensa mão de obra, comprometeu as atividades produtivas, e o país empobreceu.

FARAÓS DA QUINTA DINASTIA

FARAÓ	REINADO	REALIZAÇÕES
Userkaf	2498-2491 a.C.	Chegou ao poder com a ajuda dos sacerdotes de Heliópolis e compensou o apoio com doações de terras e bens. Primeiro faraó a construir um templo solar. Primeiros contatos com os povos do Egeu.
Sahure	2491-2477 a.C.	Manteve uma ativa relação comercial e diplomática com os povos que habitavam a Palestina e a Arábia.
Neferirkare I Kakay	2477-2467 a.C.	Patrocinou o culto solar.
Neferefré	2460-2458 a.C.	Início da colonização do Sinai e da Baixa Núbia.
Chepseskaré	Poucos meses	Parecem não existir vínculos familiares entre ele e o resto da dinastia.
Niuserré Ini	2445-2422 a.C.	O culto solar alcança seu clímax.
Menkauhor	2422-2414 a.C.	Descentralização administrativa.
Djedkare Isesi	2414-2375 a.C.	Criou o cargo de vizir do sul para o Alto Egito. Redação das Máximas de Ptahotep.
Unas	2375-2345 a.C.	Surgem os Textos das Pirâmides.

A quinta dinastia (2500 - 2350 a.C.) continuou a construir pirâmides, embora em menor escala. As relações com os vizinhos foram estimuladas, e expedições militares e comerciais foram enviadas à Síria e à Núbia. É dessa época a mais antiga narrativa sobre uma travessia marítima. Ordenada pelo faraó Sneferu, soberano do Egito de aproximadamente 2575 a 2551 a.C., a frota de 40 navios navegou até o porto de Biblos, na Fenícia, e voltou carregada de madeiras nobres. No entanto, Sneferu não se tornou célebre por estimular as viagens por mar, pois seus súditos não eram marinheiros entusiasmados, e sim pela pirâmide que construiu. Os egípcios preocupavam-se mais com a preparação para a vida após a morte do que em tirar vantagem da sua situação geográfica, propícia para o desenvolvimento da navegação.

No final da quinta dinastia, começou uma tendência que se consolidou na sexta dinastia (2350 - 2200 a.C.), na qual o poder foi passando lentamente para os governadores das províncias, os nomarcas.

PRIMEIRO PERÍODO INTERMEDIÁRIO (2200 - 2050 A.C.)

O Primeiro Período Intermediário assistiu à invasão do Egito por povos de origem asiática que se estabeleceram por algum tempo no vale inferior do Nilo. Não se sabe quase nada sobre a sétima e a oitava dinastias, pois, então, os nomos eram completamente autônomos. Sem um poder central, a ordem interna do reino entrou em colapso.

FARAÓS DA SEXTA DINASTIA

FARAÓ	REINADO	REALIZAÇÕES
Teti	2345-2333 a.C.	Os monarcas adquirem prerrogativas próprias do faraó.
Userkaré	2333-2332 a.C.	Possível usurpador ou regente.
Meryre Pepi I	2332-2283 a.C.	Soberano enérgico e empreendedor, último grande rei do Antigo Reino, eficaz guerreiro e construtor.
Merenré Nemytemsaf I	2283-2278 a.C.	Continua a política expansionista na Núbia e realiza expedições à Terra de Punt.
Neferkare Pepi II	2278-2184 a.C.	SFaraó que reinou por mais tempo em toda a história, 94 anos; levou à decadência do poder real e a ascensão dos monarcas.
Merenré Nemytemsaf II	2184 a.C.	Em seu reino, o culto solar alcança o seu clímax.
Nitekreti	2184-2181 a.C.	Provavelmente uma faradisa; construiu a terceira pirâmide.

O fundador da nona dinastia, Keti I, fez a cultura voltar a florescer e estabeleceu um poder centrado em Herakleópolis, cidade onde reinava. Outros centros de poder local formaram-se, tendo Tebas à frente. Logo, uma disputa começou pelo domínio do Egito. Foi só a 12ª dinastia que restabeleceu o controle sobre o Alto e o Baixo Egito, sob Amenemhet I, membro de uma família de altos funcionários dos reis tebanos.

O REINO MÉDIO (2050 - 1800 A.C.)

O Reino Médio, também chamado de Médio Império, foi inaugurado por um poderoso rei que reunificou o reino, Amenemhet I, a partir de sua capital, em Tebas. Embora os nomos continuassem a ter grande independência, sob a 12ª dinastia, o Egito aumentou sua esfera de poder. Os faraós dessa dinastia adotaram políticas de expansão agressivas. Seus navios coalhavam o porto de Biblos, na Fenícia (hoje, Líbano), onde faziam ativo comércio. O mar também os levava a Creta e ao Mar Vermelho, para onde expandiam sua influência. A Palestina era controlada pelo Egito, que enviava expedições militares à Líbia e à Núbia.

Durante quase 250 anos, o Egito passou por um período de recuperação, sobretudo em termos da ordem e da coesão social. Houve, igualmente, desenvolvimento material. Grandes obras de recuperação foram realizadas nos pântanos do Nilo. Ao sul, os faraós da 12ª dinastia conquistaram a Núbia, expandindo seu território. Nesse período, a condição divina do faraó mudou sutilmente. Ele não era apenas um deus, mas um descendente dos deuses.

Contudo, apesar de os descendentes de Amenemhet I terem garantido mais de dois séculos de prosperidade ao Egito, sob a 13ª dinastia, embora também tebana, voltou a surgir o divisionismo, e o Médio Império terminou em meio a perturbações políticas e competições dinásticas.

SEGUNDO PERÍODO INTERMEDIÁRIO (1800 - 1550 A.C.)

Durante a 14ª dinastia, os reis eram eleitos por curtos períodos e o poder não era hereditário, mas controlado pelos vizires. O Segundo Período Intermediário, que durou aproximadamente 200 anos, foi marcada por outra incursão de estrangeiros, os hicsos. A partir de 1730 a.C., os hicsos, um povo semita que começou a ocupar a região oriental do delta do Nilo desde a 12ª dinastia, assumiu gradualmente o poder.

Os grupos de seminômades que seguiram para o Egito fugindo da fome, acabaram por se fixar definitivamente na região, atraídos pelas férteis pastagens. Embora seja difícil precisar a época em que os homens das areias – como os egípcios se referiam a eles – se fixaram no Egito, sabe-se que os hicsos invadiram o Egito por volta de 1730 a.C. Esse povo asiático invadiu a região oriental do Delta do Nilo durante a 12ª dinastia do Egito e passaram a acolher povos de cultura semelhante, concedendo até mesmo a alguns chefes de tribo acesso a postos administrativos.

Os hicsos, ou "reis pastores", dispunham de melhor tecnologia militar: carro com cavalos, arcos compostos, armas de bronze e avançadas técnicas de construção de fortificações. Os hicsos completaram a conquista do Egito em 1675 a.C. e, no ano seguinte, fundaram a 15ª dinastia.

Aparentemente os invasores adotaram as convenções e os métodos egípcios, chegando a manter, num primeiro momento, os burocratas existentes.

Um dos governantes desse período, Sesóstris IV, que viveu por volta de 1650 a.C., foi o primeiro faraó que se esforçou para superar o desinteresse dos egípcios pelo mar. Ele enviou expedições em viagens de comércio e também de exploração, a fim de conceber um conceito geográfico do seu território. Não se sabe, porém, qual a extensão das suas descobertas. Sesóstris percebia a necessidade de constituir uma sólida marinha e criou entre seus súditos a classe dos marinheiros, o que estimulou uma maior proximidade entre o mar e os egípcios, oceanófobos por tradição. Historiadores da Antiguidade, como o grego Heródoto (484 - 424 a.C.), tido como o Pai da História, afirmam que Sesóstris ordenou a fundação de uma colônia egípcia num lugar chamado Fasis, onde construíam-se navios, desenhavam-se mapas e desenvolviam-se as ciências náuticas. Durante o reino de Sesóstris os egípcios chegaram a dominar o comércio no Mar Vermelho e a fundar colônias e entrepostos na Grécia. Mas Sesóstris governou num período em que seu país enfrentava uma série de distúrbios e, com sua morte, os egípcios voltaram ao seu natural desinteresse pelo mar. As colônias no exterior perderam contato com a metrópole e, como antes do faraó, o comércio voltou a ser dominado por estrangeiros.

QUEM FORAM OS REIS HICSOS
Salites (Charek), Khaian, Apopi I, Khamudi, Sekhaenré II, Chechi, Iakub-Hor, Apopi II e Aa-sh-Ra

A INDEPENDÊNCIA

Os hicsos fundaram, ainda, a 16ª dinastia. Sob seu domínio, por volta de 1650 a.C., emergiu uma nova dinastia tebana independente – a 17ª –, que viria a entronar 15 faraós. Os monarcas tebanos mantinham boas relações com os hicsos, mas Taa I (acredita-se que reinou apenas um ano, entre 1550 e 1549 a.C.) iniciou o conflito com os hicsos, o qual, depois de sua morte, foi continuado por seus sucessores. Ahmosis, um descendente de Taa I, fundou a 18ª dinastia por volta de 1570 a.C. e completou a expulsão do hicsos, que tinham se refugiado na Palestina. O reinado do filho de Ahmosis, Amenhotep I (reinou entre cerca de 1526 e 1506 a.C.), marca o princípio da formação do império egípcio.

O NOVO IMPÉRIO

O período conhecido como Novo Império foi, no seu apogeu, muito bem sucedido em termos de influência internacional e deixou elaborados monumentos como testemunho do desenvolvimento dessa época. Durante a 18ª dinastia, houve um renascimento das artes, uma transformação das técnicas militares por conta da adoção de táticas e equipamentos de povos do Oriente Médio e Ásia, como o carro de guerra. Isso tudo foi possível por causa da forte consolidação da autoridade real.

O reinado de Amenhotep I (ou Amenófis) durou cerca de 20 anos. Sem filhos, deixou o trono do Egito para sua irmã, Ahmosis. Contudo, de acordo com o costume egípcio, foi seu esposo, Tutmósis I, que se tornou faraó. Ele precisou suprimir uma rebelião dos núbios e promoveu uma campanha na Síria e chegou até o Alto Eufrates. Sob sua regência, o império egípcio atingiu o máximo de sua expansão. Apenas uma filha de Tutmósis I e Ahmosis sobreviveu, a princesa Hatshepsut. Quando o faraó morreu, passou o trono ao filho mais velho do faraó com outra princesa, Tutmósis II. Para garantir a legitimidade da sucessão, o novo faraó

Wikicommons

Amenhotep I

casou-se com sua meia irmã Hatshepsut. Apesar de ter saúde frágil, o reinado de Tutmósis II foi um período positivo para o Egito. Coroado aos 20 anos, precisou arregimentar e enviar um exército poderoso contra os núbios, que matou todos os homens daquela nação. Como Tutmósis II e Hatshepsut não tiveram um filho homem, o faraó nomeou seu filho com uma esposa secundária, Tutmósis III, para substituí-lo. No entanto, quando Tutmósis ll, morreu, em cerca de 1490 a.C., Tutmósis III era muito jovem para reger, e Hatshepsut assumiu o trono até que o herdeiro tivesse idade suficiente para encabeçar o império. Hatshepsut foi a primeira rainha a governar o Egito. Porém, quando Tutmósis III chegou à maioridade em 1486 a.C., Hatshepsut assumiu o poder real, com o apoio do seu conselheiro, arquiteto e provável amante, Senemut, reinando até 1468 a.C.

HATSHEPSUT

O reino de Hatshepsut (cerca de 1503 a 1480 a.C.) contrastou com a tendência guerreira da dinastia anterior à sua, pois ela se devotou ao fortalecimento do comércio, a restaurar antigos monumentos e a construir novos outros. Empreendedora, nos seus 23 anos de governo, deixou mais obras do que qualquer outra rainha egípcia que a sucedeu. Como primeira mulher a sentar no trono de Hórus, o deus-falcão que o faraó encarnava, teve muitos obstáculos a vencer e usou toda a sua habilidade política para isso. Nas aparições públicas e representações artísticas, ela era caracterizada como rei, com barba falsa e vestindo o *kapersh*, um elmo de uso exclusivo dos faraós no campo de batalha. Uma das suas manobras para legitimar o direito ao trono foi a construção do templo de Deir el-Bahri, ou "convento do norte", em Tebas, um dos grandes legados do Egito antigo. Projetado por Senenmut, que além de arquiteto inovador era amante da rainha, o templo consagrado aos deuses Amon e Hátor registra o acontecimento mais notável do reinado de Hatshepsut. Em uma importante ala do Deir el-Bahri há uma série de relevos que descrevem detalhadamente a expedição que Hatshepsut enviou à Terra de Punt.

Wikicommons

Hatshepsut

A TERRA DE PUNT

Os baixos-relevos contam que o próprio Amon, o principal deus de Tebas, inspirou a rainha a ordenar a jornada a Punt, na atual Somália, uma região rica em gomas, resinas, madeiras aromáticas, âmbar, ouro, lápis-lazúli e marfim. Esses produtos eram comercializados no Egito, Mesopotâmia, Síria e Ásia Menor exclusivamente pelos árabes. O deus Amon, segundo sua protegida, pretendia acabar com a dependência que seus sacerdotes tinham desses mercadores para obter os óleos e o incenso necessários para a execução dos seus elaborados rituais. Por isso, ordenou Hatshepsut a empreender a expedição. A rainha, por sua vez, mandou construir cinco navios, os maiores já feitos no Egito até então. Mediam cerca de 70 pés e tinham a popa e a proa bem altas, com balaustradas que serviam como observatório e onde devia existir algum tipo de abrigo para os oficiais. Os barcos não tinham convés e havia apenas um mastro, de tronco maciço de palmeira, com mais ou menos nove metros de altura. A tripulação consistia em 30 remadores, sendo 15 de cada lado, quatro marinheiros, dois timoneiros, um imediato e um capitão. Um destacamento militar, que também acompanhava a expedição, era a guarda de honra do embaixador de Hatshepsut. No total, presume-se que cerca de 210 pessoas tenham participado da expedição nos cinco navios.

Supõe-se que a expedição tenha zarpado de Tebas e alcançado o Mar Vermelho por algum antigo curso fluvial que ligava o rio ao mar. Se essa passagem realmente existiu, ela desapareceu nos séculos seguintes, pois outros faraós se esforçaram para cavar um canal que ligasse o Nilo ao Mar Vermelho. Os relevos não fazem referências à viagem por mar e a narração prossegue com a chegada da flotilha a Punt, onde foi recebida pelo príncipe do lugar, chamado Parihu, e por sua esposa. Ati, a princesa, é representada gordíssima, quase disforme. Tanto que alguns estudiosos levantaram a possibilidade de ela ter sofrido de elefantíase. Contudo, é mais provável que seu peso excessivo fosse o padrão de beleza imposto às mulheres de certas partes da África, onde o ideal era que as beldades, engordadas à base de cerveja de banana, chegassem a ser tão obesas que mal pudessem andar.

Depois de aportar, o embaixador de Hatshepsut presenteou Parihu regiamente e recebeu em troca as preciosas mercadorias de Punt, que incluíam, entre outras curiosas raridades, um elefante e uma girafa. Então, o embaixador egípcio ofereceu uma recepção a Parihu, Ati e sua corte. Uma inscrição abaixo dessa representação informa o menu do banquete: "pão, cerveja, vinhos, carne, vegetais e todas as boas coisas do Egito, por ordem e vontade de Sua Majestade, nossa Vida, Saúde e Força".

As paredes do templo de Amon e Hátor nada contam sobre a viagem de retorno, mas atestam a chegada dos navios a Tebas carregados de tesouros. A representação é tão fiel, que modernos ictiologistas foram capazes de identificar espécimes de peixes da Somália entre a fauna trazida de Punt. Os desenhos descrevem a enorme procissão de boas-vindas que acompanhou os exploradores, escoltados por um destacamento da elite do exército, pelas ruas de Tebas até o Deir el-Bahri, onde a rainha os aguardava. As pinturas concluem sua história dizendo que Hatshepsut recebeu os viajantes em triunfo, na presença da própria Hátor, a deusa regente da Terra de Punt.

Além desses fragmentos de memória ecoando nos corredores vazios do Deir el-Bahri, não se sabe muita coisa. Faltam informações que expliquem se a expedição estabeleceu uma rota de comércio regular com Punt, ou se foi uma manobra política da astuta Hatshepsut, uma gloriosa aventura que inflasse o ego e conquistasse a confiança dos seus súditos.

Em 1468 a.C., quando Tutmósis III tinha cerca de 30 anos, ele conseguiu derrubar os usurpadores do poder. Em mais ou menos 1480 a.C., o nome da rainha desapareceu dos monumentos. Pode ser que tenha simplesmente renunciado em favor de Tutmósis III, algo pouco provável. Ao que tudo indica, pelo esforço vingativo do seu sucessor em apagar o nome de Hatshepsut de todos os registros públicos e estátuas, ela ficou no trono até o fim. Tutmósis III não poupou nem sua múmia, que parece ter sido destruída. Em 1881, os restos de Tutmósis I, II e III foram descobertos na tumba dos Reis-Sacerdotes, perto do Deir el-Bahri.

Tutmósis governou em um cenário diferente de seus antecessores. No final do Novo Império, o mundo fora do Egito mudara. As pressões externas aumentaram, com o desenvolvimento de novas potências militares. Prova disso é que Tutmósis III levou 17 anos para dominar os territórios a leste, tendo que desistir da expansão, detido por um povo chamado mitani, que dominava o leste da Síria e o norte da Mesopotâmia. Mesmo assim, Tutmósis III foi um grande rei. Tinha extraordinário talento político e militar, expandindo o território egípcio. Passou à História como um dos maiores soberanos do Egito.

AKHENATON

O Egito atingiu o apogeu em termos de prestígio e prosperidade com o faraó Amenófis III (1410 - 1375 a.C.). Foi a mais grandiosa época de Tebas e, para marcar esse fato, este faraó foi sepultado no maior túmulo jamais erigido para um rei. Infelizmente, nada mais resta desse monumento fúnebre, a não ser fragmentos de enormes estátuas que os gregos vieram a chamar de Colosso de Memmon, em referência ao lendário herói de origem etíope.

Seu sucessor, Amenhotep IV, teve sua educação fortemente influenciada pelos sacerdotes de Heliópolis, para quem o deus-sol Ré-Harakti era o maior de todos os deuses. Amenhotep IV importava-se mais com a arte do que com a guerra. Poeta, escreveu o mais famoso poema da literatura egípcia e dedicou-se a amar a esposa, a bela Nefertiti, com quem era retratado dirigindo sua carruagem ou brincando com as filhas. As antigas crônicas dão conta de que, nas ocasiões cerimoniais, Nefertiti sentava-se ao seu lado e lhe dava as mãos, enquanto as filhas se divertiam ao pé do trono. A rainha lhe deu sete filhas, mas nenhum menino. Mesmo assim, Amenhotep IV a amava tanto que não tomou uma segunda esposa.

Amenhotep IV também tinha grande devoção pelo Sol, um dos principais deuses dos antigos egípcios, venerado como pai de toda a vida terrena. Depois de sua coroação, Amenhotep IV proclamou-se o primeiro sacerdote de Rá-Harakti. No quarto reino de seu reinado, o faraó decidiu construir, em Amarna, uma nova cidade dedicada ao deus sol, a qual se chamaria Akhetaton. A cidade foi construída rapidamente, e o rei se mudou para lá no sexto ano da sua regência. Logo depois de se transferir para a nova capital, Amenhotep oficializou Aton – o disco solar – como o deus da religião do Estado e, para marcar sua sinceridade, mudou seu nome para Akhenaton, que significa "aquele que é favorável a Aton". Akhenaton não só tornou o culto ao deus-sol obrigatório, como proibiu as outras manifestações religiosas.

A oposição provocada pela revolução religiosa de Akhenaton concorreu para limitar seu poder. A hierarquia oficial se enfureceu e conspirou contra o faraó. O povo, estimulado pelos sacerdotes, considerou o monoteísmo de Akhenaton uma heresia, uma severa ofensa contra os deuses, e se rebelou. Até mesmo no palácio, Akhenaton era mal visto, não só pela reforma religiosa, mas, ao desprezar a guerra, por ter enfraquecido o exército. Por conta disso, os Estados súditos recusavam-se a pagar os tributos devidos e, um a um, depuseram os governadores egípcios e se libertaram. Além disso, os hititas – um povo guerreiro que estabeleceu poderoso império na Anatólia, atual Turquia – pressionavam as possessões egípcias. Akhenaton não conseguiu salvar os mitanis, que, àquela altura, haviam se aliado aos egípcios. Sem apoio dos egípcios, os mitanis foram privados de todas as suas terras a oeste do Eufrates para os hititas.

Akhenaton perdeu quase todo o apoio que tinha – apenas a esposa e alguns poucos aliados ficaram ao seu lado. Tinha pouco mais de 30 anos quando morreu. Dois anos depois da sua morte, Akhenaton foi sucedido por seu genro Tutancâton. O novo faraó, que depois mudou seu nome para Tutancâmon, tinha apenas 9 anos quando acedeu ao trono. Quem detinha, de fato, o poder era o velho vizir Ai. A mudança de nome do rei marca a restauração do antigo culto e demonstra o fim da tentativa de reforma religiosa. O faraó morreu jovem, com cerca de 19 anos.

Na disputa sucessória que aconteceu depois de sua morte, Horemheb, que desde o reinado de Akhenaton tinha sido comandante do exército, tomou o trono. Horemheb reinou por 30 anos, eliminando completamente os vestígios da religião de Aton. Sem descendentes, escolheu Ramsés como sucessor.

A DINASTIA DOS RAMSÍDIOS

Ramsés I já era idoso quando assumiu o reino em 1319 a.C. Faleceu um ano depois e passou a coroa a seu filho, Seti I (1318 – 1301 a.C.), que empreendeu campanhas militares, restabelecendo o território perdido por Akhenaton. A 20ª dinastia foi fundada pelo faraó Setnakt (1197 – 1195 a.C.), e continuou até 1157 a.C., com Ramsés IV.

Além dos antagonistas tradicionais, surgiram novos inimigos. Os povos do Mar Egeu, ou Povos do Mar, estavam em franca expansão. De acordo com os registros egípcios, as ilhas do Egeu "extravasavam seus povos", e "nenhuma terra os impedia de avançar". Os chamados "povos do mar" acabaram sendo vencidos, mas foi um esforço árduo.

Ramsés II, que governou o Egito entre 1279 a 1213 a.C., instaurou uma nova época de prosperidade e glória. Seu reinado foi uma das épocas de maior desenvolvimento no aspecto econômico, administrativo, militar e cultural. Contudo, no reino de Ramsés III, por volta de 1150 a.C., aumentam as evidências de desorganização interna. O faraó foi assassinado em decorrência de uma conspiração no seu harém. A partir de então, multiplicaram-se os problemas econômicos.

De fato, os ramsídios, como são conhecidos os faraós desde Ramsés IV a Ramsés XI (1116 – 1090 a.C.), marcam um período de decadência. Embora tenham conservado a Núbia, perderam o controle da Síria e da Palestina para os assírios, enquanto os hebreus apoderaram-se das cidades canaanitas. Entre os principais feitos dos faraós ramsídios, estão os extraordinários monumentos funerários que construíram no Vale dos Reis.

Com a diminuição dos recursos, a autoridade do rei enfraqueceu. O poder efetivo estava, de fato, nas mãos do exército. Os sacerdotes de Amon também aproveitaram-se da situação, acumulando poder e riqueza. O oráculo do Templo Imperial de Karnak comunicava a vontade de Amon, concorrendo com a autoridade divina do faraó. A natureza sagrada dos reis também era desafiada pelos

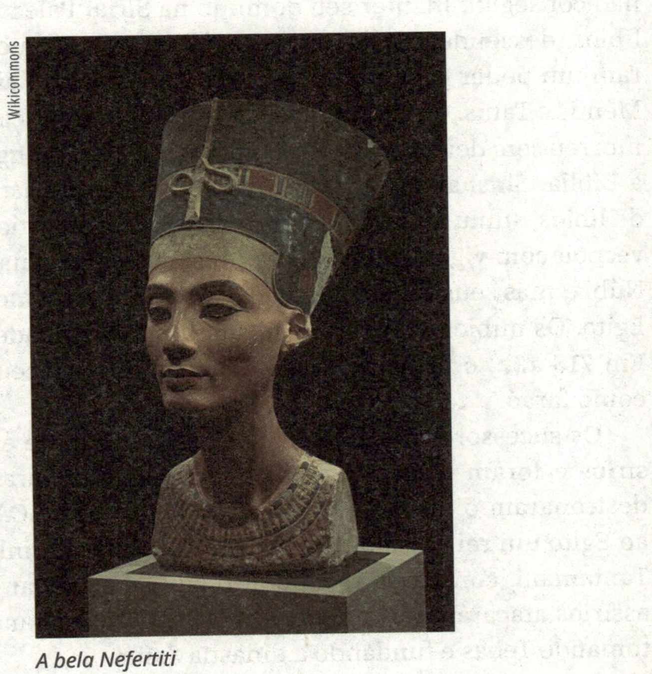
Wikicommons

A bela Nefertiti

saqueadores de tumbas, ávidos por se apoderar dos tesouros enterrados com os soberanos. Durante esse período, as múmias dos grandes faraós precisaram ser retiradas dos seus mausoléus para serem escondidas nos penhascos próximos ao templo de Deir el--Bahri. Ramsés XI era apenas um monarca aparente, enquanto Smendes, monarca de Tanis, detinha o poder efetivo juntamente com Herihor. Quando Ramsés XI morreu, em 1090 a.C., Smendes fundou a 21ª dinastia, ao proclamar-se faraó, casando-se, para legitimar sua posição, com a filha de Ramsés XI.

No final do segundo milênio antes de Cristo, a decadência pela qual o Egito passava no final do Novo Império também ocorria com outros impérios, como os hititas. Nessa época, conforme observou o historiador J.M. Roberts, “estava morrendo o mundo que servira de cenário para as glórias egípcias”. Esse declínio das civilizações mais antigas certamente arrastou o Egito em sua esteira.

TERCEIRO PERÍODO INTERMEDIÁRIO

A 21ª dinastia (1070 – 945 a.C.) foi marcada por uma divisão de poder entre o faraó, em Tanis, e o sumo sacerdote de Amon, em Karnak e Tebas. Também foi um período de decadência e o Egito não conseguiu manter seu domínio na Síria, Palestina e Núbia. Os líbios, descendentes de antigos prisioneiros de guerra, conquistaram um poder cada vez maior, em Bubastis, no Baixo Egito, entre Mênfis e Tanis. Quando Psusenes, o último monarca da 21ª dinastia morreu sem deixar herdeiros, em 945 a.C., Shosheng (ou, conforme a Bíblia, Shishak), um senhor da guerra de Bubastis descendente de líbios, subiu ao trono, inaugurando a 22ª dinastia. Shosheng governou com vigor, renovando a presença egípcia na Palestina e na Núbia, mas seus sucessores não conseguiram manter a unidade do Egito. Os núbios avançaram ao sul, tomando cidades e territórios. Em 715 a.C., o príncipe núbio Shabaka estabeleceu-se em Mênfis como faraó.

Os sucessores de Shabaka tiveram, porém, de enfrentar os assírios e foram derrotados nas guerras que travaram. Os assírios destronaram o faraó núbio Taharka (690 – 664 a.C.) e impuseram ao Egito um rei vassalo, Necao I (672 a.C.). O sobrinho de Taharka, Tantamani, conseguiu recuperar o Egito e executar Necao, mas os assírios atacaram novamente em 663 a.C., expulsando Tantamani, tomando Tebas e fundando a dinastia Saíta.

OS ÚLTIMOS SÉCULOS

Sob a dinastia saíta, o Egito se reergueu sob o comando dos príncipes da cidade de Saís, no delta do Nilo, expulsando o invasor. Nesse período, conhecido como Renascença Saíta (663 – 525 a.C.), o país respirou ares de liberdade pela última vez, antes de ser conquistado sucessivamente pelos persas (525 a.C.), pelos gregos (332 a.C.) e pelos romanos (30 a.C.). Foi nessa breve época de relativa tranquilidade que aconteceu a última grande expedição egípcia e que foi uma das mais audaciosas travessias marítimas de que se tem notícia. Ordenada pelo faraó Neco II, que reinou entre 610 e 595 a.C., e tripulada por navegantes fenícios, a expedição tinha a ambiciosa missão de circunavegar a África.

Para estimular esse crescimento, Neco II começou a escavar um canal que ligaria o Nilo ao Mar Vermelho. Depois de anos de trabalho e da morte de 120 mil operários egípcios, o faraó desistiu da construção do canal, aconselhado por um oráculo que previu que a obra só beneficiaria aos bárbaros. Sendo assim, o inquieto Neco II armou uma expedição com a missão de circunavegar a África. Para tanto, contratou marinheiros fenícios e ordenou que eles navegassem ao longo da costa africana, desde o Mar Vermelho, retornando pelos Pilares de Hércules, ao norte, contornando assim o continente. Heródoto, o historiador grego que dá conta dessa proeza, relata que os exploradores rumaram direto para a Etiópia, onde aportaram para plantar cereais e se reabastecerem, partindo depois da colheita. Dessa forma, viajaram durante dois anos, sempre parando para plantar e conseguir provisões. No terceiro ano, passaram finalmente pelos Pilares de Hércules, antigo nome do estreito de Gibraltar, e chegaram de volta ao Egito.

Na verdade, há fortes argumentos que depõem contra a possibilidade de sucesso da expedição. O tempo da viagem, por exemplo, foi curto demais. Também se considera que os navios daquela época não eram fortes o bastante para completarem a rota em toda a sua extensão, nem os marinheiros tinham conhecimentos e habilidades suficientes para conquistar seu intento. Dois mil anos depois de Neco II, com uma tecnologia náutica bem mais avançada e após muitas tentativas, os portugueses contornaram o cabo no extremo sul da África, que chamavam de Cabo das Tormentas e, então, rebatizaram-no de Cabo da Boa Esperança. O titânico esforço português para circunavegar a África, miticamente cantado por Camões em

"Os Lusíadas", empalidece qualquer argumentação de que a expedição de Neco II tenha realmente sido bem sucedida e seria suficiente para colocar um ponto final nessa discussão.

Por outro lado, há dois indícios consistentes de que o continente africano foi circunavegado na Antiguidade. Heródoto escreveu que os marinheiros fenícios de Neco "contaram que ao contornar a Líbia (o nome pelo qual os gregos chamavam a África) tiveram o sol à sua direita". Para o historiador, "este fato não parece acreditável, mas talvez o seja para outros. Assim a Líbia foi conhecida". A mudança de lado do nascente, que Heródoto põe em dúvida por ignorar a geografia da costa africana, é a maior evidência do sucesso da expedição, embora não seja a única.

De fato, quer tenha tido sucesso ou não na sua ambição exploratória, Neco II fortaleceu a tradição marítima iniciada, séculos antes, pelo faraó Sesótris. O neto de Neco II, Apries, foi ainda mais longe, coroando essa tradição. Durante seu reinado, de 589 a 570 a.C., a frota de guerra egípcia comandou o Mediterrâneo. O domínio naval de Apries se estendeu a ponto de sua marinha tomar a cidade de Tiro, derrotando no mar os hábeis marinheiros fenícios. Depois de Apries, o Egito se calou. Mais de 50 anos após a sua morte, em 525 a.C., o país foi conquistado pelos persas.

O domínio persa teve períodos positivos, como o de Dario I (521 – 486 a.C.), que enfrentou a resistência dos príncipes egípcios da região do delta. Por fim, os egípcios foram finalmente derrotados, na época de Amirteus, o único rei da 28ª dinastia que se revoltou contra o poder persa.

Por um breve período, Nectanecbo I (380 a.C.), o primeiro rei da 30ª dinastia, conseguiu reconquistar a independência do país. Os faraós dessa dinastia esforçaram-se para devolver o Egito à glória de outrora, especialmente em termos culturais, religiosos e institucionais. Contudo, os persas voltaram a dominar o país em 343 a.C. e se mantiveram na liderança do Egito até a conquista de Alexandre, em 332 a.C. A partir de então, a cultura egípcia é absorvida e mesclada aos modos e maneiras helênicos.

Passion Images/ Shutterstock.com

3
RELIGIÃO

ALÉM DO ASPECTO TEOLÓGICO, PROPRIAMENTE DITO (A CRENÇA NA VIDA SUBSEQUENTE À MORTE), A RELIGIÃO EGÍPCIA PODE SER VISTA COMO UM CULTO DE ESTADO, FORTEMENTE CONDICIONADO PELAS CARACTERÍSTICAS DE CADA DINASTIA. HAVIA, AINDA, UMA RELIGIÃO POPULAR, A QUAL GIRAVA EM TORNO DE SUPERSTIÇÕES E PRÁTICAS MÁGICAS

Os egípcios concebiam uma ordem cósmica que se estendia à vida humana e à ordem social. Quem mantinha essa ordem cósmica era o faraó. Seus atos influenciavam a *maat*, isto é, a harmonia universal. No entanto, com o tempo, a crença na natureza sagrada do faraó foi, aos poucos, perdendo a credibilidade e as pessoas deixaram de confiar numa imortalidade promissora.

A religião, porém, possuía duas esferas: a oficial, ou pública, e a privada. A religião oficial consistia em culto e festas religiosas nos principais templos. O culto baseava-se na reciprocidade. O faraó, através de seus sacerdotes, louvava os deuses e tomava conta das suas imagens. Em troca, as divindades habitavam essas imagens e mostravam a sua predileção por ele, e, assim, pela humanidade.

As fórmulas de oferenda, no registo mais baixo da decoração dos templos, testemunham essa relação. "O rei veio até vós [a divindade], trazendo oferendas que vos apresentou, para que lhe deis todas as terras [ou presente semelhante]", registra uma delas. Assim, o faraó exprime a sua adoração e veneração pela divindade e celebra as suas qualidades. A divindade responde sua atenção com bênçãos. A língua egípcia tem palavras que exprimem estas ideias básicas.

A RELIGIÃO DOS MISTÉRIOS

Outra peculiaridade da religião egípcia é a chamada Religião dos Mistérios, da qual foi um dos centros irradiadores na Antiguidade. Essas práticas iniciáticas acabaram dando origem, com o tempo, a sociedades secretas que continuaram a existir durante toda a história, como, por exemplo, a maçonaria.

Os Mistérios consistiam em um grupo de crenças e práticas que existiu em muitos países sob diferentes formas. No Egito, eram os Mistérios de Ísis e Osíris; na Grécia, os Mistérios de Dionísio e os de Eleusis; em Roma, os Mistérios de Baco e Ceres. Muitas das grandes mentes daquela época, como o filósofo Pitágoras, foram iniciadas em alguma ou algumas dessas escolas de sabedoria.

Nada resta de puro desse conhecimento. As iniciações, feitas através da tradição oral, se perderam ou foram corrompidas ao longo dos séculos. Fermentadas pelo segredo que envolvia as iniciações, histórias estranhas e boatos bizarros foram relacionados a elas.

O testemunho de autores clássicos mostra, porém, uma face diferente dos Mistérios. O poeta trágico Sófocles escreveu que "três vezes felizes são os mortais que descem aos reinos de Hades depois de haverem contemplado os Mistérios". Platão também testemunhou sobre a santidade das iniciações. Em Fédon, no qual o filósofo reflete sobre vida após a morte, Platão afirmou: "Admito que possuíam iluminação os homens que estabeleceram os Mistérios e que, em realidade, tiveram intenção velada ao dizerem, há longo tempo, que quem quiser, vá para o outro mundo sem estar iniciado e santificado, jazerá no lodo, mas quem chegue ali iniciado e purificado, morará com os deuses".

OS TEMPLOS

Os templos mais importantes eram consagrados a divindades locais. O culto era praticado por uma hierarquia de sacerdotes. Não tinha a ver com a população em geral, exceto com os sacerdotes a tempo parcial e as pessoas que trabalhavam nas terras dos templos. Só os sacerdotes podiam entrar no templo. O deus deixava o templo para várias cerimônias, durante as quais as pessoas normais podiam se aproximar dele para consultar o oráculo. Mesmo nessas circunstâncias a imagem permanecia escondida num altar e era transportada numa barca simbólica. Sabia-se, assim, que o deus estava presente, embora não fosse visto.

Além dos templos principais, havia em todo o Egito muitos santuários locais de divindades menores, ou de formas diferentes das mais importantes. As pessoas comuns iam a esses santuários para rezar, fazer oferendas e perguntas ao oráculo. Havia, igualmente, centros de peregrinação, como Abido, que teve o seu apogeu no Império Médio, e Saqqara, onde a necrópole dos animais funcionou como polo nos períodos tardio e ptolomaico.

A julgar pelas fórmulas de cartas, as pessoas visitavam os santuários - ou talvez rezassem em casa - todos os dias para intercederem pelo bem-estar do correspondente ausente. Tais fórmulas não são necessariamente bons testemunhos, mas certos pormenores sugerem que há nelas um fundo de prática genuína.

Em sua prática mágico-religiosa, os egípcios empregavam um grande número de amuletos, decretos divinos salvaguardando os seus portadores, bustos de antepassados nas casas e objetos especiais e modos de vestuário que rodeavam o parto. Através de textos, sabemos de curas mágicas para doenças, poções de amor, calendários de dias de sorte e azar, afastamento do mau-olhado, adivi-

Wikicommons

Templo de Ísis, na ilha de Filas, na região do Nilo

nhação por meio de sonhos e várias outras práticas, como cartas escritas a parentes mortos que se julgava estarem ressentidos com os vivos.

CULTO DOS ANIMAIS

Um aspecto peculiar da vida religiosa do antigo Egito foi o culto aos animais. Sempre houve animais considerados sagrados para determinadas divindades, ou mesmo venerados eles próprios como divindades e enterrados com cerimônias apropriadas. No Período Tardio essas práticas proliferaram demasiadamente. A espécie associada à principal divindade de uma região era muitas vezes ali considerada sagrada e um único membro ou todos os seus membros eram mumificados e enterrados. Fazer o funeral de um animal era uma "boa ação".

Várias espécies de animais foram homenageadas com funerais. Sepulturas de diversos tipos de peixes, cobras e crocodilos são conhecidas noutras partes do país. Surgiu uma cidade inteira no deserto, a norte de Saqqara, para prover essas necessidades, e criavam-se íbis quase em escala industrial, antes de serem, provavelmente, levadas a uma morte precoce. Essas práticas, que ainda não compreendemos inteiramente, eram comuns a todas as classes da sociedade. O seu caráter público e o declínio dos túmulos particulares naquela altura podem estar relacionados com um enfraquecimento da crença numa vida individual depois da morte.

O crescimento dos templos, na 18ª dinastia, acompanhado de outras alterações religiosas, viu o aparecimento do clero como classe, o que se prolongou, apenas com ligeiros retrocessos, até o Período Tardio. As necessidades básicas do culto podiam ser satisfeitas por um oficiante, por um especialista em rituais ou por um sacerdote-leitor e pelos sacerdotes em tempo parcial que tratavam das funções mais práticas e menos sagradas. Mas em Karnak, por exemplo, havia desde o primeiro ao quarto sacerdote de Amon à frente de um grande número de religiosos.

Em geral, o filho sucedia ao pai no seu cargo sacerdotal. Contudo, o faraó podia nomear livremente a pessoa mais adequada para o cargo. No final do Império Novo, a sociedade egípcia começou a caminhar em direção a uma situação rígida, na qual existia uma divisão hierárquica segundo os vários tipos de ocupações, quase semelhante à das castas hindus. Os sacerdotes tinham de observar restrições quanto a comida, modo de vestir, de se barbear e abster-se de sexo quando estavam de serviço.

Os sacerdotes obtinham rendimento dos templos. As oferendas eram colocadas diante do deus e, depois de a divindade ter se satisfeito com elas, revertia para santuários menores e para os sacerdotes, que as consumiam. As oferendas eram, porém, apenas uma pequena parte do rendimento dos templos, destinadas a pagar diretamente as pessoas envolvidas na manutenção dos santuários e a comprar determinados produtos de que o templo não dispunha.

A cultura dos templos do Período Greco-Romano era sacerdotal, o que implicava na desvalorização do papel do faraó. Em períodos anteriores, os sacerdotes apresentavam-se perante o deus como representantes do faraó, mas agora era este que se aproximava da divindade pelo fato de ser sacerdote.

A VIDA ALÉM-TÚMULO

A cultura egípcia se baseava na noção de um mundo criado com uma forma imutável. Mesmo as mudanças observadas eram interpretadas como cíclicas e pertencentes a um modelo fixo, que não se alterava. Esse pensamento originou o conceito de que a morte era tida como parte de um processo cíclico. Para as pessoas comuns, a morte era entendida como uma passagem deste mundo para o próximo. Para o faraó, porém, acreditava-se que o deus Hórus transferia-se do rei morto para seu sucessor. Dessa forma, apesar da morte física, os egípcios acreditavam em imortalidade.

A convicção da vida eterna que se segue à morte e sua preocupação com essa sobrevivência do espírito tornou-se uma das concepções básicas da religião e da cultura egípcia. No início da civilização egípcia, a imortalidade era tida como uma prerrogativa do faraó e concedida a outras pessoas que continuariam servindo o rei depois de sua vida terrena. Gradualmente, porém, a imortalidade foi atribuída à nobreza e, finalmente, a todos os indivíduos.

A ideia dos egípcios a respeito da existência depois da morte é muito complexa e sofreu mudanças através do tempo. No entanto, alguns conceitos sempre estiveram presentes. Um deles é de que a vida após a morte é dependente da preservação do corpo, de forma literal, isto é, por meio da mumificação, ou por meio de imagens, consideradas um substituto para o corpo. O túmulo era necessário para manter o corpo e as imagens do morto. Outra ideia sempre

Wikicommons

Amon-Rá em um relevo do Palácio da Verdade, em Deir el-Medina

Wikicommons

Sacerdotes vestidos com pele de leopardo realizam rituais de purificação. Túmulo de Userhat (19ª dinastia)

presente na religião egípcia é a de que os três componentes da alma, isto é, o *ka*, o princípio vital, *ba*, o fator psíquico, e *ak*, sua manifestação depois da morte, tinham uma manifestação material, embora impalpável e capaz de passar através de qualquer obstáculo.

É difícil de se definir a ideia de *ka*. Talvez o que mais se aproxime do conceito original seja o de um duplo espiritual, elemento metafísico, invisível, volátil, que permitia a existência dos humanos e garantia a vida eterna depois da morte. Era a essência, a substância vital, que distingue o ser vivo do morto.

Outro princípio espiritual dos antigos egípcios era o *ba*, que designava um elemento metafísico, imaterial e invisível que tornava o indivíduo único. Depois da morte, o *ba* une-se ao *ka*, por força de *Nehebkau* – a energia que, após o falecimento, impele o *ba* e o *ka* a se unirem.

As ideias sobre o tipo de vida que as pessoas levavam no outro mundo variavam de acordo com a situação de cada um, mas mudaram conforme o desenvolvimento da civilização egípcia ao longo do tempo. No Antigo Reino, a existência depois da morte era entendida como a reintegração dos mortos no processo cósmico. Assim, o faraó morto incorporava-se ao Sol, Aton-Ré, ou, nas pessoas comuns, o *ba* da pessoa falecida se transformava em *ak*, que, por sua vez, se transformaria numa estrela no céu – especialmente na região circumpolar do firmamento.

A partir do Primeiro Período Intermediário, passou-se a associar a qualidade da existência depois da morte ao tipo de vida que o indivíduo levara. De acordo com o sociólogo Hélio Jaguaribe, "o culto de Osíris, que julgava o morto conforme suas ações terrenas, enfatizava um sentido de subjetividade pessoal estimulando o desenvolvimento da consciência ética que obedecia às normas de boa conduta". Foi um período de revolução espiritual. A partir de então, a imortalidade, que era, antes, um privilégio do rei-deus, passou a ser atribuída a todos os seres humanos. Todos passaram a se identificar com Osíris e a ter uma vida pessoal nos campos de Ialu, o local onde passaria a eternidade, entre as estrelas, ou nas Terras do Oeste. Aqui os mortos tinham uma existência feliz. Podiam cultivar os campos que escolhessem, ajudados pelos bons espíritos, os *ushbetti*, em um clima ameno, onde satisfaziam-se amando, tendo filhos e descansando – uma vida terrena idílica, simples, feliz e sem

Wikicommons

Os deuses Osíris, Anúbis e Hórus

as adversidades que tanto tememos. Havia, porém, o perigo de que os mortos fossem dominados antes que a alma chegasse a Ialu, o que exigia que amuletos especiais fossem colocados no cadáver e no túmulo para defendê-los e para serem bem recebidos por Osíris.

Na medida em que a civilização egípcia entrou em decadência, também a visão da terra dos mortos tornou-se mais sombria. Nessa época, os campos de Ialu tornaram-se o oeste severo, triste e escuro. Em vez das imagens otimistas que adornavam os túmulos dos tempos antigos, nos séculos finais da civilização egípcia, a arte tumular reforçava a expectativa dos perigos que cercavam os mortos e os aspectos negativos da morte. Como resultado, os recursos mágicos e o apelo à misericórdia dos deuses aumentam.

Apesar da preocupação com a existência após a morte, os egípcios buscavam a felicidade. Hélio Jaguaribe, em seu livro *Um Estudo Crítico da História* (Editora Paz e Terra), escreve que "embora imersos na concepção de uma realidade imutável, os egípcios eram um povo pragmático, podendo ajustar-se a circunstâncias cambiantes e eram fortemente orientados no sentido da felicidade pessoal e do gozo da vida". Segundo o sociólogo, isso era possível porque os egípcios combinavam sua característica pragmática com relação às circunstâncias externas (seca, pragas, doenças etc.) com sua visão de um cosmo imutável por conta de seu modo de pensar, baseado em dois conceitos: a consubstancialidade e a identidade múltipla.

De acordo com a noção de consubstancialidade, uma coisa pode manifestar-se sob outra forma, mantendo, porém, a substância original. Daí resulta a ideia de identidade múltipla, a qual admite que uma coisa possa ter várias formas, sem, no entanto, perder sua identidade. Assim, os deuses poderiam ser ou manifestar-se em pessoas, ou animais.

MÚMIAS

A doutrina da preservação do corpo substituía as crenças que induziam os egípcios a ignorarem a preservação deste, baseada na crença de que Osíris, deus-homem, suportou a morte e mutilação graças às oferendas de suas irmãs Ísis e Néftis ao túmulo, com diversos amuletos protetores, sendo embalsamado com poesias sagradas recitadas por elas, contemplando, desta forma, a vida eterna.

Os egípcios concebiam diversos atributos da constituição do homem, nos níveis físico, mental e espiritual. Eram eles:

Khat: corpo físico, sujeito à desintegração caso não fosse mumificado;
Ka: traduzido por "duplo", possuía a forma e características do homem a quem pertencia. Trata-se do aspecto metafísico que subjaz a realidade material do indivíduo, assegurando sua sobrevivência na Terra. Tinha necessidades fisiológicas, fazendo com que uma abundância de alimentos fosse deixada no túmulo. Apesar de morar na tumba junto ao Khat, podia transitar livremente;
Ba: alma do coração, que podia visitar o corpo sempre que quisesse. Morava no céu com os deuses Osíris e Rá. Era representada por um falcão com cabeça humana, indicando a total liberdade sem perder o humanismo;
Ab: coração, órgão preservado após a morte a fim de que, no Julgamento, fosse examinado, porque nele estavam gravadas todas as virtudes e vícios do ser. Era conservado, também, para evitar que os "ladrões de corações" o roubassem no mundo inferior.
Khaibit: literalmente "sombra". Tal como o *ka*, podia perambular livremente e se alimentava das oferendas feitas na tumba do indivíduo;
Khu: a alma espiritual do homem. Imortal sob qualquer circunstância, habitava o Sahu (corpo espiritual);
Sekhem: poder do homem, responsável pela sua energia vital;
Ren: nome do homem. Os egípcios se esforçavam em preservá-lo, sob a crença de que se o nome de alguém não fosse conservado, este cessaria de existir.
Sahu: corpo espiritual, onde a Khu habitava. Era duradouro conforme as orações dos mais qualificados sacerdotes. Todos os atributos do homem ali se uniam.

Visando a preservação de todos os atributos citados acima, o Livro Egípcio dos Mortos tornou-se a obra máxima a fins fúnebres, eternizando a vida dos egípcios. Contudo, nem todos eles eram privilegiados com a mumificação: apenas os mais importantes da sociedade a recebiam. Os corpos dos ditos menos importantes na sociedade egípcia passaram a ser enterrados próximo às areias dos desertos, cujo clima quente e seco ajudava a preservá-los.

Wikicommons

Estátua do ka de faraó

A mumificação era um processo cuidadoso e complexo que durava, em média, 70 dias, estimando-se ter iniciado em meados do ano 3000 a.C. preservando os corpos até os dias atuais, conforme descobertas arqueológicas. Também alguns animais de estimação, como cães e gatos, foram mumificados. Concedendo a conservação do Khat, facilitava, também, o reconhecimento da *ba*, ou alma.

O corpo era inicialmente levado aos locais de purificação, chamados de Ibu, onde passaria pelo processo de limpeza, sob cuidados de renomados sacerdotes. Eram tendas ao ar livre e situavam-se à margem oeste do Rio Nilo.

Em uma mesa inclinada, que ajudava a drenar os líquidos do corpo, era lavado com vinho de palma e água do Rio Nilo.

Após o limparem devidamente, faziam um corte ao lado esquerdo da região do abdômen, a fim de retirarem todos os órgãos. O cérebro, por sua vez, era retirado através das narinas, com o auxílio de um gancho. Os pulmões, intestinos, estômago e fígado eram colocados em diferentes vasos canopos.

Cada um destes quatro recipientes era atribuído aos respectivos quatro filhos de Hórus, representado por quatro animais, além de outras quatro deusas: os pulmões eram protegidos por Hapi, permanecendo em um canopo com cabeça de babuíno, e pela deusa Néftis; os intestinos, por Qebehsenuf (vaso com cabeça de falcão) e pela deusa Serket; o estômago, por Duamutef (vaso com cabeça de chacal) e pela deusa Neit; e o fígado, por Imset (vaso com cabeça de humano) e pela deusa Ísis.

O coração era o único órgão a permanecer intacto no corpo, para diversos fins, incluindo o julgamento de Osíris no submundo. Todo o restante, incluindo o cérebro, era atirado às águas do Rio Nilo.

A partir de então, o corpo era imerso em natro, tipo de sal mineral muito comum na região, fazendo com que todos os fluidos fossem drenados em um período de 40 dias. Após esse período, todas as cavidades do corpo eram tampadas com linho embebido de resina. Maquiava-se o rosto e uma peruca era colocada sobre a cabeça. Todo o corpo era coberto de óleos de mirra, zimbro e resina para protegê-lo. Várias folhas de tomilho esmagadas perfumavam-no.

Wikicommons

Encantamento do Livro dos Mortos de Hunefer

O TÚMULO

O túmulo deveria ser de pedra, de forma a constituir uma proteção impenetrável para proteger o corpo. Normalmente uma passagem secreta conduzia a uma câmara, provida de alimentos, armas, equipamentos, com figuras de servos, esculpidas ou pintadas, que, por meio de fórmulas mágicas proferidas pelos sacerdotes, acompanhariam e serviriam para sempre o corpo e o *ka*.

Um olho de Hórus era desenhado em um prato de ouro, que tampava o corte na lateral do abdômen, como amuleto de proteção. Defumavam a tumba levemente com incenso, a fim de purificar o ar. O corpo era então enrolado por tiras de linho engomado.

O MUNDO DOS MORTOS

Entre a morte e a incorporação no mundo divino havia um julgamento, representado com frequência em túmulos, papiros, sarcófagos e mortalhas. O seu tema central é a pesagem do coração do morto numa balança, com Maat, a concepção egípcia da ordem correta, representada quase sempre como um hieróglifo, ou por uma pena de avestruz, ou por uma figura da personificação de Maat.

Thot, o deus-escriba da sabedoria e da justiça, efetua a pesagem diante de Osíris, que preside a uma sala de julgamento com 42 juízes. Se o coração e Maat estão em equilíbrio, o teste é favorável e o morto é apresentado a Osíris em triunfo. O julgamento se baseia na conduta correta em vida. Por conta disso, os mortos tinham preparada uma declaração de inocência de todo o tipo de pecado – um modo mágico de contornar o julgamento. Havia, de fato, uma literatura funerária e outras provisões no túmulo empregados como auxílios mágicos para o êxito no outro mundo.

Para os egípcios, a partida desta vida era uma primeira fase, sendo que deveriam evitar a segunda morte, que causava uma total aniquilação. Essa aniquilação, porém, não fazia desaparecer totalmente as vítimas, mas os que foram reprovados no julgamento e morreram pela segunda vez são castigados. Entravam num outro modo de existência, que era uma ameaça para o mundo ordenado e que tinha de ser combatido.

Algumas cenas das paredes dos templos eram parte das providências tomadas para a vida. Além dessas pinturas, os túmulos

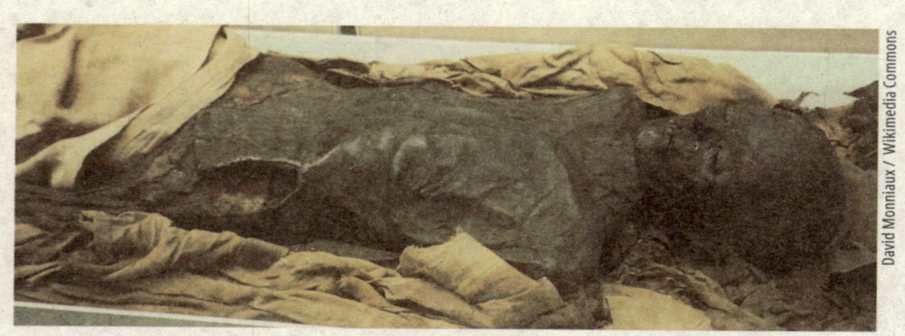
David Monniaux / Wikimedia Commons

Múmia no British Museum

continham grande variedade de bens materiais, incluindo, principalmente nos períodos mais antigos, enormes quantidades de comida, estátuas que podiam ser habitadas pela "alma" do defunto e a múmia, cuidadosamente enfaixada, protegida por numerosos amuletos, colocada num caixão ou em vários, encaixados uns dentro dos outros, e magicamente ressuscitada num ritual chamado "abertura da boca".

Muitos dos bens encontrados nos túmulos repetiam simbolicamente o tema da ressurreição. Alguns objetos correspondiam a determinadas necessidades no outro mundo. O morto era acompanhado, no seu funeral, por cerca de 400 figuras *shawabty*, pequenas figuras de servos e trabalhadores que deviam servir o morto na vida além-túmulo.

TUAT

Tuat, ou Duat, é uma vasta região sob a Terra, ligada a Nun, as águas do abismo primordial. É o reino de Osíris, o submundo habitado pelas almas dos mortos. À noite, o deus Rá – o Sol – viaja de oeste para leste através do Tuat, onde enfrenta temíveis demônios e seu maior inimigo, a serpente Apep, a qual sempre matava, mas que renascia sempre, para voltar a combater o deus à noite.

Os túmulos são portais que comunicam o mundo dos vivos a Tuat. Os textos sobre Tuat que chegaram até nós, que pertencem a diferentes períodos, dão uma perspectiva diferente sobre esse mundo mítico. Como em tudo o que se refere à longa história da civilização egípcia, também o conceito do Tuat mudou ao longo do tempo.

Wikicommons

Bandagem pintada, usada no processo de mumificação

PROCESSO DE MUMIFICAÇÃO NO EGITO ANTIGO

A análise de múmias embalsamadas no final do Novo Império e durante o Terceiro Período Intermediário revela os seguintes passos:

- extração do cérebro;
- remoção das vísceras por meio de incisão no lado esquerdo;
- esterilização das cavidades do corpo e das vísceras;
- tratamento das vísceras: remoção de seu conteúdo, desidratação com natrão, secagem, unção e aplicação de resina derretida;
- enchimento do corpo com natrão e resinas perfumadas;
- cobertura do corpo com natrão durante cerca de 40 dias;
- remoção dos materiais de enchimento;
- enchimento subcutâneo dos membros com areia, argila etc.
- enchimento das cavidades do corpo com panos ensopados em resina e sacos de substâncias aromáticas, como mirra, canela e outras;
- unção do corpo com unguentos;
- tratamento da superfície do corpo com resina derretida;
- enfaixamento, o que inclui a colocação de amuletos, joias e outros ornamentos e objetos religiosos.

A geografia dessa região é semelhante ao mundo que os egípcios conheciam. Há rios, ilhas, campos, lagos, montanhas e cavernas; há, igualmente, locais fantásticos no reino de Osíris, como lagos de fogo, muralhas de ferro e árvores de pedras preciosas.

Os sacerdotes egípcios escreviam um roteiro de viagem, o Livro dos Mortos, para orientar as almas através do Tuat e preveni-las dos perigos que as aguardam nesse lugar. O morto tinha de passar por uma série de portões guardados por espíritos perigosos – seres antropozoomórficos, com corpos de homens e mulheres e cabeças de animais e insetos, que ameaçavam os espíritos viajantes. Dessa forma, o texto descreve uma série de ritos de passagem que os mortos teriam que passar para conquistar a existência depois da morte.

As almas que conseguissem enfrentar os perigos do caminho sem serem destruídas chegariam a um salão, onde seriam julgadas. Para tanto, seu coração era pesado por Anúbis, diante de Osíris. O contrapeso usado por Anúbis era uma pena, dada por Maat, a deusa da verdade e da justiça. O coração de alguém que não seguiu Maat em vida era mais pesado que a pena e os espíritos nesta condição eram devoradas por Ammit, o Devorador de Almas. Àquelas almas que passavam no teste seria permitido continuar viagem até Aaru, ou "campos de junco" – o paraíso dos egípcios.

O MUNDO SUBTERRÂNEO

O mundo subterrâneo é uma versão particular do reino dos mortos, conhecido, sobretudo, através dos túmulos do Império Novo. Ele possui, porém, como em todos os aspectos da religião egípcia, muitas variantes. As concepções da vida do rei depois da morte afirmavam que ele iria juntar-se aos deuses na morte. Eram, a princípio, diferentes das que eram válidas para o resto da humanidade, embora viessem a ser difundidas entre cada vez mais pessoas. Qualquer que fosse o destino de uma pessoa, não estava de modo algum assegurado.

A outra vida era cheia de perigos, que deviam ser ultrapassados, principalmente, por meios mágicos. O ponto de partida de todas essas ideias era o túmulo. Os enormes gastos dos egípcios ricos com seus funerais tinham como objetivo realçar o prestígio do dono do túmulo durante a vida. O morto podia continuar a existir dentro e à volta do túmulo, ou podia viajar pelo outro mundo. Buscava identificar-se com os deuses, sobretudo com Osíris, ou juntar-se, como espírito transfigurado, ao ciclo solar, como membro do "barco dos milhões".

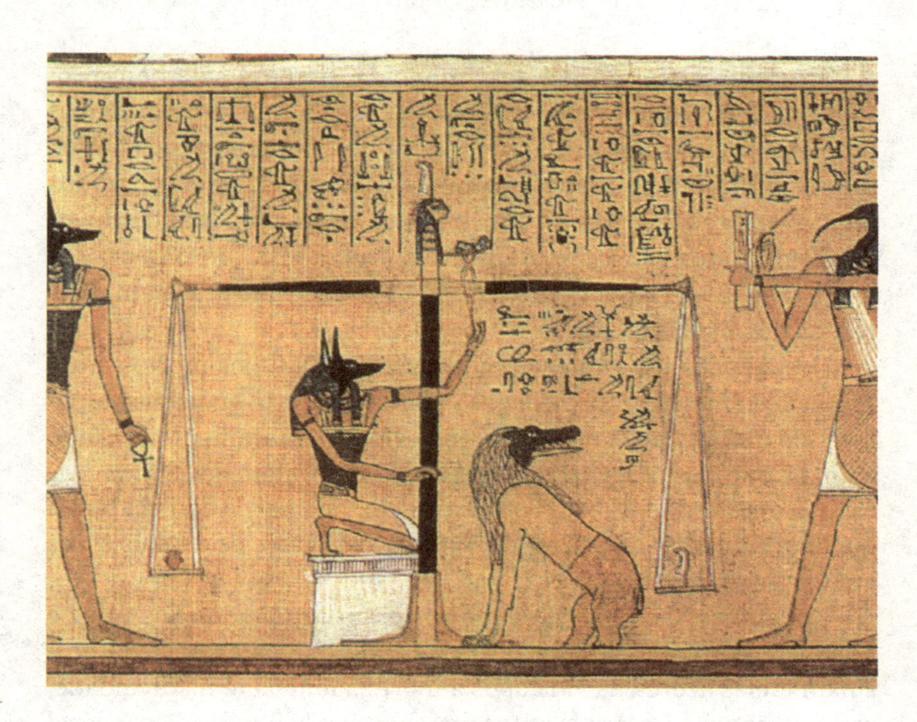

4

O LIVRO DOS MORTOS

O LIVRO EGÍPCIO DOS MORTOS FOI O CONJUNTO DE ESCRITOS MAIS UTILIZADO EM RITUAIS FÚNEBRES NA HISTÓRIA EGÍPCIA. REPLETO DE FÓRMULAS MÁGICAS, POESIAS, ORAÇÕES E HINOS, FOI ESCRITO POR DIVERSOS AUTORES, DESCONHECIDOS, AO LONGO DE UM VASTO TEMPO

A origem dessa obra é desconhecida, embora seja bem provável que os egípcios pré-dinásticos, os mais primitivos povos do Egito, sejam seus fundadores. Contudo, eram povos extremamente rudimentares, com costumes grosseiros, se comparados com o estereótipo egípcio do homem moderno, mantendo os conhecimentos estritamente por via oral, apesar de o Livro dos Mortos estabelecer complexos sistemas de sepultura, bem diferentes dos pré-dinásticos.

Nesta época, que antecede o ano de 3100 a.C., os mortos eram mutilados em pequenos pedaços — fato que afasta quaisquer hipóteses de mumificação nesse período. O desmembramento era feito a fim de que o espírito não retornasse à aldeia, além de economizar espaço dentro da tumba. Posteriormente, tais povos começaram a queimar os cadáveres, atirando, porém, o crânio e os demais ossos em um buraco raso.

Em ambas as práticas, os mortos eram sepultados nos vales e recebiam oferendas funerárias, indicando que os egípcios já possuíam ideias acerca da vida após a morte, além da fé na divindade, embora não deixassem escritos nos túmulos — fator indispensável do Livro dos Mortos, que posteriormente se universalizou no Egito.

Wikicommons

Detalhe de texto gravado na pirâmide de Teti I, precursor do Livro dos Mortos

A CHEGADA DOS IMIGRANTES: O ALICERCE DA CULTURA EGÍPCIA

Os egípcios pré-dinásticos tinham caráter indígena; a grande maioria do que atualmente é rotulado de "Cultura Egípcia" provém de influência externa, no Período Protodinástico, ou seja, após meados de 3100 anos a.C.

Enquanto nos túmulos do Período Pré-dinástico eram frequentes objetos como armas de sílex, jarros e vasos de pedra, as sepulturas protodinásticas, por sua vez, contavam com a presença de objetos de bronze e armas de metal, indicando uma suposta chegada de povos estrangeiros às terras do Nilo.

Historiadores e arqueólogos encontraram diversas evidências de que esses povos migraram do leste, instalando-se no Egito, gradualmente absorvidos pelos nativos. Esses imigrantes conquistaram o país, governando de tal forma que mudaria drasticamente os costumes de até então, como, por exemplo, a introdução da escrita e confecção de armas de metal.

A cultura egípcia, outrora rudimentar, agora contava com a arte da literatura e novas crenças religiosas e costumes fúnebres. Os corpos não eram mais queimados, tampouco mutilados, mas enrolados por ataduras. As peças feitas à mão foram substituídas por vasos de cerâmica.

Os povos indígenas admiraram as diversas melhorias na sociedade como um todo e foram adotando tais costumes aos poucos. Obviamente, também os recém-instalados sofreram grande alteração e influência dos nativos. Surgia, portanto, o alicerce da cultura egípcia, por meio da união dos aborígenes, provenientes do nordeste da África, com os imigrantes do leste.

Depois do processo de mumificação, começavam os ritos religiosos: textos sagrados do Livro Egípcio dos Mortos eram recitados, e amuletos sagrados eram colocados no sarcófago. Uma máscara era encaixada na múmia, com o nome, ou Ren, do indivíduo escrito em hieróglifo.

O JULGAMENTO DOS MORTOS

O destino dos mortos era decretado por Osíris, na Sala do Julgamento. Os condenados eram comidos por Ammit, a Devoradora dos Mortos, deixando de existir, enquanto os absolvidos iam para os reinos de Osíris, vivendo eternamente, em felicidade absoluta.

Primeiro, o morto tinha de convencer Aken, o barqueiro, a levá-lo pelo rio da morte. Ao conseguir passar por 12 portões, vigiados por demônios e serpentes, precisava convencer 42 deuses-juízes de que não infringiu qualquer um dos 42 Mandamentos de Math, a deusa da verdade e da justiça. Apenas a partir daí, poderia entrar no tribunal de Osíris.

Estas 42 confissões dizem muito sobre a ética e a moral do Antigo Egito:

Ouça-me, Usekh Nemmat: eu não causei o mal.
Ouça-me, Hepet Shet: eu não roubei com violência.
Ouça-me, Fenti: eu não fiz o errado em lugar de fazer o que era correto.
Ouça-me, Am Khaibit: eu não furtei.
Ouça-me, Neha Her: eu não assassinei homem ou mulher.
Ouça-me, Ruti: eu não distorci a minha voz.
Ouça-me, Ariti-ef Shet: eu não cometi fraude.
Ouça-me, Neba: eu não profanei locais sagrados.
Ouça-me, Set Qesu: eu não proferi mentiras.
Ouça-me, Khemi: eu não aceitei suborno.
Ouça-me, Uadj Nesert: eu não fiz sexo com crianças.
Ouça-me, Her-ef Há-ef: eu não roubei comida.
Ouça-me, Qereti: eu não comi meu coração.
Ouça-me, Taret: eu não poluí meu caráter com falsidade.
Ouça-me, Hedj Abehu: eu não poluí terras férteis.
Ouça-me, Unem Snef: eu não matei os animais sagrados.
Ouça-me, Unem Besku: eu não traí segredos.
Ouça-me, Neb Ma'at: eu não disse mais do que devia.
Ouça-me, Tenemi: eu não discuti sem razão.
Ouça-me, Anti: eu não me deixei tomar pela raiva.
Ouça-me, Tutuf-ef: eu não extorqui.
Ouça-me, Uamemti: eu não permiti ser usado por outras pessoas.
Ouça-me, Ma Antef: eu não me deitei com pessoas comprometidas.
Ouça-me, Heru Serui: eu não dominei alguém pelo terror.
Ouça-me, Neb Sekhem: eu não usei minhas palavras para o mal.
Ouça-me, Shet Keru: eu não me desviei do meu caminho.
Ouça-me, Nekhen: eu não causei sofrimento deliberado.
Ouça-me, Kenemti: eu não caluniei.
Ouça-me, Na Hotep-ef: eu não agi com violência desnecessária.
Ouça-me, Ser Khru: eu não fui duro demais em meu julgamento.
Ouça-me, Neb Heru: eu não ataquei os ensinamentos dos deuses.
Ouça-me, Serekhi: eu não fiz fofoca.
Ouça-me, Neb Abui: eu não aprovei o mal ou me calei diante dele.
Ouça-me, Nefertum: eu não traí o meu país.
Ouça-me, Atum Sep: eu não poluí as águas.
Ouça-me, Ari-em Ab-ef: eu não exaltei a minha voz ou falei com arrogância.
Ouça-me, Ihy: eu não desrespeitei os Deuses.
Ouça-me, Uadj Rekhyt: eu não traí os meus votos.
Ouça-me, Neheb Neferet: eu não destruí templos sagrados.
Ouça-me, Neheb Kau: eu não desrespeitei os ancestrais.

Ouça-me, Djeser Tep: eu não tirei da boca das crianças.
Ouça-me, An a-ef: eu não desrespeitei o sagrado alheio.

A cena dos julgamentos era frequentemente representada por desenhos nos papiros, tumbas e mortalhas. Anúbis, deus dos mortos, levava o coração do réu à balança, a qual era ajustada por ele próprio. O órgão da consciência ficava em um dos lados e a pena de Maat – uma pena de avestruz que representava a deusa da verdade – do outro, fazendo o contrapeso. Thoth, deus escriba da justiça, anotava tudo o que ali acontecia. Caso o coração pesasse mais do que a pena, o morto era condenado, sendo devorado por Ammit, monstro feminino que engolia aqueles que fracassavam.

O indivíduo cujo coração pesado na balança fosse aprovado era declarado "maa kheru", ou "aquele cuja palavra é justa e verdadeira". Tornava-se Deus, abria as portas do mundo inferior e podia dar ordens aos seres encarregados de recebê-las.

Acima, os deuses observam tudo: Anúbis traz o réu à sala, ajusta a balança, enquanto Thoth faz suas anotações e Ammit, a Devoradora dos Mortos, aguarda. O réu é maa kheru, pois o coração pesou menos do que a pena de Maat, então Hórus leva-o a seu pai Osíris. À frente do deus-juiz, notam-se os quatro filhos de Hórus, cujas cabeças ficam nos vasos canopos em que ficam guardados alguns órgãos da múmia; atrás dele, estão Ísis e Néftis.

Wikicommons

Parte do Livro dos Mortos de Pinedjem II

SEKHET-HETEP: A VIDA APÓS A MORTE

Os beatificados por Osíris gozariam de felicidade absoluta nos "Campos da Paz", ou Sekhet-Hetep. Tratava-se de verdadeiros reinos paradisíacos, onde os mortos tinham os mesmos prazeres mundanos que tiveram em suas vidas, tendo uma existência que dependia exclusivamente de coisas materiais. Convém ressaltar que esta crença provinha de períodos pré-dinásticos, quando o homem egípcio era semisselvagem, perdurando, contudo, através do extremo conservadorismo egípcio no tocante à religiosidade.

Na seguinte passagem, do texto de Unas, nota-se claramente a diferença dos conceitos morais dos 42 Mandamentos, já expostos, de Maat em relação aos pré-dinásticos:

"Unas chegou às suas lagoas, que estão de ambos os lados da corrente da deusa Meht-urt, ao lugar dos campos, de ambos os lados do horizonte; tomou verdejantes os seus campos, de ambos os lados do horizonte. Trouxe o cristal ao Grande Olho que está no campo, tomou assento no horizonte, ergueu-se como Sebec, filho de Neit, comeu com sua boca, verteu água, gozou os prazeres do amor, e é ele o reprodutor que tira as mulheres de seus maridos sempre que lhe apraz fazê-lo".

Apesar de esta crença possuir longa data, apenas no capítulo CX do Livro dos Mortos, na 18ª dinastia foram feitas ilustrações do lar dos mortos abençoados, nos papiros. Nelas, nota-se uma grande fazenda dividida por canais, um dos fatores que levam muitos egiptólogos a crerem que as representações foram feitas por uma nação de agricultores.

Há vários textos e desenhos que retratam os Sekhet-Hetep: em uma vinheta, o falecido navega em um barco repleto de oferendas, destinando-se a Rá, o deus falcão. Em outro texto, ele ceifa o trigo, afasta os bois que o pisoteiam, e ajoelha-se diante de duas medas de cereais. Aqui, vale notar que muitos confundem Rá com Hórus por ambos possuírem cabeça de falcão e terem sido mesclados nas dinastias posteriores, formando *Ré-Horakhty,* apesar de no antigo Texto das Pirâmides ser nítida a distinção entre eles, como no trecho: *"Hórus remove para o sul do céu o trono de Rá"*.

Na divisão seguinte, prepara as terras de Sekhet-Aaru para serem cultivadas, às margens de um curso de água sem-fim, sem vermes ou peixes. Na quarta passagem, ergue-se a morada de Osíris, onde situam-se os sítios habitados pelos que se nutrem do alimento sagrado, através do sahu. Em outra vinheta, o maa kheru recebia uma vida tão perfeita quanto a fora na Terra, ao colocar o deus da sua cidade.

A oração seguinte diz muito sobre os anseios egípcios à vida futura: "Seja eu recompensado com os teus campos, oh, deus Hetep; farás o que for teu desejo, oh, senhor dos ventos. Possa eu tornar-me espírito aí, possa eu comer aí, possa eu beber aí, possa eu arar aí, possa eu colher aí, possa eu combater aí, possa eu fazer amor aí, possam minhas palavras serem poderosas aí, possa eu nunca estar em estado de servidão aí, mas possa eu ter autoridade aí".

O falecido vive com Rá, acompanhado dos deuses, aos quais se torna semelhante. Desfruta dos confortos materiais que tivera em sua vida em abundância, além de reencontrar seus pais e cônjuge.

5

ORAÇÕES E HINOS EGÍPCIOS

AS ORAÇÕES ENCONTRADAS NO LIVRO EGÍPCIO DOS MORTOS COMPÕEM SUA MAIOR PARTE. POR SER MUITO EXTENSO, CONTENDO MAIS DE 190 CAPÍTULOS, SERIA IMPOSSÍVEL ENUMERAR TODOS ESTES HINOS AQUI, FAZENDO-NOS DESCARTAR ALGUMAS PARA ESTE FIM

Escritas com caráter poético eram fórmulas mágicas com diversos fins, incluindo adoração a deuses, instruções para direcionar os espíritos no mundo inferior e cânticos de proteção.

Diversas orações contêm um nome composto do deus Osíris e o escriba em questão, que se tornou maa kheru, isto é, triunfante, como o caso dos escribas Ani, Nu, Lepsius, por exemplo. Todas as orações a seguir foram retiradas do Livro Egípcio dos Mortos, traduzido para a língua portuguesa por Octavio Mendes Cajado. Suas versões originais, em papiros, se situam no Museu Britânico.

HINO DE LOUVOR A OSÍRIS, DO PAPIRO DE ANI

"Glória a Osíris Un-Nefer, o grande deus dentro de Abidos, rei da eternidade, senhor da perpetuidade, que viveu milhões de anos em sua existência. Filho mais velho do ventre de Nut, engendrado por Seb, o Erpat (*Literalmente, "o grande antepassado da tribo dos deuses"*), senhor das coroas do Norte e do Sul, senhor da altiva coroa branca: como príncipe de deuses e homens, recebeu o bastão e o chicote, e a dignidade dos seus divinos pais. Deixa que folgue o

Wikicommons

Os deuses Ptah, Amon e Rá, junto ao faraó Ramsés II (o segundo a partir da esquerda)

teu coração, que está na Montanha de Ament, pois teu filho Hórus se instalou no teu trono. Foste coroado senhor de Tatu e soberano de Abidos. Através de ti cresceu o mundo verde em triunfo diante da força de Neb-er-tcher (*"Senhor de todos". Osíris é frequentemente chamado por esse nome no Livro dos Mortos*). Ele conduz em seu séquito o que é e o que ainda não é, com o nome de Ta-her--sta-nef (*traduzido por "aquele que conduz a Terra"*); reboca o seu barco ao longo da Terra, ao lado de Maat, com o nome de Sekher; excessivamente poderoso e terribilíssimo com o nome de "Osíris", perdura para todo o sempre com o nome de "Unnefer".

Homenagem a ti, Rei dos reis, Senhor dos senhores, Príncipe dos príncipes, que, do ventre de Nut, governaste o mundo e Akhert (*um dos nomes dados ao mundo inferior*).

Teu corpo de metal brilha e reluz, tua cabeça é de azul cobalto e o resplendor da turquesa te envolve. Oh, deus An (*uma das formas do deus-sol*), de milhões de anos, que tudo penetras com o corpo e és formoso de semblante em Ta-tchesert (*outro nome dado ao submundo*), concede ao *ka* de Osíris o escriba Ani, esplendor no céu, força na Terra e triunfo no mundo inferior; e deixa que eu desça navegando a Tatu como uma alma viva e suba navegando a Abidos como um pássaro Benu (*identificado como fênix*); e que eu entre e saia sem repulsa pelos pilonos, senhores do mundo inferior. Que ali me sejam dados pães na casa do frio, oferendas de comida em Anu, e uma propriedade rural para sempre em Sekhet-Aaru, com trigo e cevada para este fim."

HINO DE LOUVOR A RÁ QUANDO SE LEVANTA NA PARTE ORIENTAL DO CÉU, DO PAPIRO DE UN-NEFER

"Eis aqui Osíris, Un-Nefer, vitorioso que diz:

'Homenagem a ti, oh tu que és Rá, quando te levantas e Temu (*Temu é um dos nomes dados a Rá*) quando te pões. Levanta-te, levanta-te, brilhas, brilhas, és coroado rei dos deuses. Senhor do céu, és o senhor da Terra; criador dos que habitam nas alturas e dos que habitam nas profundezas. És o Deus Uno surgido no começo dos tempos. Criaste a Terra, afeiçoaste o homem, fizeste o abismo aquífero do céu, formaste Hapi (*Deus do Nilo*), criaste o abismo das águas e dás vida a tudo o que há dentro dele. Coseste as montanhas umas às outras, fizeste a humanidade e os animais do campo tomarem forma, fizeste os céus e a Terra. Sê adorado, oh, tu que a deusa

Maat abraça de manhã e ao entardecer. Viajas pelo céu com o coração inflado de alegria; o Lago de Testes rejubila-se com isso. O demônio-serpente Nac caiu e seus dois braços estão cortados. O barco Sectet recebeu ventos prósperos, e folga o coração do que está no seu santuário. És coroado Príncipe do céu, és Uno dotado de toda a soberania que sais do céu. Rá é vitorioso! Oh, divino jovem, herdeiro da eternidade, que te geraste a ti mesmo, que te deste à luz! Oh, Uno poderoso, de miríades de formas e aspectos, rei do mundo, Príncipe de Anu, senhor da eternidade e soberano da perpetuidade, a companhia dos deuses exulta quando te levantas e navegas pelo céu, oh, tu que és exaltado no barco Sectet.

Homenagem a ti, Ámon-Rá, que repousa sobre Maat, e passas pelo céu, onde todos os rostos te veem. Ficas maior à medida que tua Majestade avança, e teus raios estão sobre todos os rostos. És desconhecido e nenhuma língua é digna de proclamar tua imagem; só tu podes fazer isso. És Uno, precisamente como o que trouxe a cesta. Louvam-te os homens em teu nome, Rá, e juram por ti, pois és senhor deles. Ouves com teus ouvidos e vês com teus olhos. Milhões de anos passaram pelo mundo; não posso dizer o número dos que passaste. Teu coração decretou espaços incontáveis, que requerem milhões e centenas de milhares de anos para atravessar; passas por eles em paz, e diriges teu caminho pelo abismo das águas para o lugar que amas; fazes isto num momentozinho de tempo, depois afundas e pões fim às horas'.

Eis aqui Osíris, o governador do palácio do senhor das duas terras (*referência ao rei Seti I, que começou a reinar por volta de 1370 a.C.*), Un-Nefer vitorioso, que diz: 'Salve, meu senhor, que passas através da eternidade, cujo ser é eterno. Salve, Disco, senhor dos raios de luz, levanta-te e fazes viver toda a humanidade. Deixa que eu te contemple todos os dias ao romper da manhã'."

DE COMO FAZER O SAHU ENTRAR NO TUAT, ISTO É, MUNDO INFERIOR, NO DIA DO FUNERAL, DO PAPIRO DE NECTU-ÁMON

"Homenagem a ti, que habitas na Set-Tchesert (*ou "Montanha Sagrada"*) de Amentet: Osíris, o escriba real Nectu-Ámon, vitorioso, te conhece, e conhece o teu nome. Livra-o dos vermes que estão em Ré-Stau, vivem sobre os corpos de homens e mulheres e se alimentam do sangue deles, pois Osíris, o favorecido do deus da sua cidade, o escriba real, Nectu-Ámon, vitorioso, vos conhece, e conhece vossos nomes. Seja esta a primeira ordem de Osíris Neb-er-tcher (*alusão a Osíris restituído*) que mantém escondido o seu corpo. Possa ele dar ar e escapar do Terrível que habita na Angra do Rio de Amentet, e que ele ordene as ações daquele que se ergue. Que ele as transmita a aquele cujo trono está dentro da escuridão, que dá glória em Ré-Stau. Ó, senhor da luz, vem e engole os vermes que estão em Amentet. O grande deus que mora em Tatu, e é invisível, ouve-lhe as orações, mas os aflitos temem-no quando ele se aproxima com a sentença do cepo divino. Eu, Osíris, o escriba real, Nectu-Ámon, vim carregando o decreto de Neb-er-tcher, e Hórus tomou posse do seu trono para ele. Seu pai, o senhor dos que estão no barco do pai Hórus, lhe conferiu louvores. Ele traz novas... e que veja Anu. O chefe deles está sobre a Terra à sua frente, e os escribas exaltam-no à porta das suas assembleias, e lhe amarram as faixas em Anu. Ele sujeitou o céu e agarrou a terra. Nem os céus, nem a Terra lhe podem ser tirados, pois ele é Rá, primogênito dos deuses. Sua mãe aleitou-o e deu-lhe o seio no horizonte."

DE COMO TRANSPOR O DORSO ABOMINÁVEL DE APEP, DO PAPIRO DE NU

"Salve criatura de cera (*isto era recitado em frente ao demônio de cera Apep, o qual era queimado neste instante*), que afastas as vítimas e as destróis, e vives dos fracos e inermes, que eu nunca me torne fraco e inerme diante de ti, e nunca sofra um colapso diante de ti. Teu veneno jamais entrará em meus membros, pois meus membros são como os membros do deus Temu; e visto que tu mesma não sofres colapso, eu não sofrerei. Não deixes que as dores da morte que te salteiam penetrem meus membros. Sou o deus Temu e estou na parte mais dianteira de Nu, e o poder que me protege é o que está com todos os deuses para sempre. Sou aquele cujo nome se esconde, e cuja habitação é sagrada por milhões de anos. Sou aquele que habita nela e saio com o deus Temu. Sou aquele que não será condenado; sou forte, sou forte."

DE COMO SAIR À LUZ DEPOIS DE HAVER PASSADO PELO TÚMULO, DO PAPIRO DE ANI

"Salve, Alma, poderosa e forte! Verdadeiramente estou aqui, vim e te contemplo. Passei pelo Tuat, vi meu divino pai Osíris. Sou o seu amado. Vim; vi meu divino pai Osíris. Apunhalei o coração de Set. Realizei todas as cerimônias para meu divino pai Osíris, abri todos os caminhos no céu e na terra. Sou o filho que ama seu pai Osíris. Tornei-me um corpo espiritual, tornei-me uma alma imortal, estou munido. Salve, todos os deuses, salve, todas as almas imortais! Fiz um caminho. Eu, Osíris, o escriba Ani, vitorioso."

CAPÍTULO DE UM HOMEM QUE SAI CONTRA SEUS INIMIGOS NO MUNDO INFERIOR, DO PAPIRO DE NU

"Oh, tu, deus que comeste meu braço, afastei-me da tua estrada. Sou Rá, e saí do horizonte contra meus inimigos, e ele me assegurou que não me escaparão. Fiz uma oferenda, e minha mão é como a do senhor da coroa Ureret. Ergui meus pés exatamente como se levantam as deusas dos uraei. Minha ruína não será levada a cabo e quanto a meu inimigo, foi-me entregue e não se libertará de mim. Ficarei de pé como Hórus, sentar-me-ei como Ptah, serei poderoso como Thoth, e forte como Temu. Caminharei, portanto, com minhas pernas, falarei com minha boca, andarei à cata do meu inimigo e, como ele me foi entregue, não me escapará."

Wikicommons

Amuleto do deus Shed

DE COMO DAR UM CORAÇÃO A OSÍRIS NO MUNDO INFERIOR, DO PAPIRO DE ANI

"Possa meu Ab estar comigo na Casa dos Corações! Possa meu Ab estar comigo na Casa dos Corações! Possa meu coração estar comigo, e descanse ele ali, ou não comerei dos bolos de Osíris no lado oriental do Lago das Flores, nem terei um barco para descer o Nilo, nem outro para subi-lo, nem poderei singrar contigo as águas do Nilo. Possa minha boca ser-me dada para que eu fale com ela, e sejam-me dadas minhas pernas para eu andar com elas, e minhas mãos e braços para eu derrubar meu inimigo. Sejam-me abertas as portas do céu; escancare Seb, o Príncipe dos deuses, suas mandíbulas para mim; abra ele os meus olhos, que estão vendados; faça ele que eu afaste uma da outra minhas pernas, que estão amarradas; e firme Anúbis minhas coxas para que eu fique ereto sobre elas. Faça a deusa Sekhet que eu me erga de modo que possa subir ao céu, e faça-se o que eu ordenar na Casa do duplo de Ptah. Compreendo com o coração. Alcancei o domínio do meu coração, alcancei o domínio das minhas mãos, alcancei o domínio das minhas pernas, alcancei o poder de fazer o que agrada ao meu duplo. Minha alma não será presa ao meu corpo às portas do mundo inferior; mas nele entrarei em paz e dele sairei em paz."

DE COMO NÃO DEIXAR O CORAÇÃO DE UM HOMEM SER-LHE ARREBATADO NO MUNDO INFERIOR, DO PAPIRO DE ANI

"Salve, oh, vós que arrebatais corações! Oh, vós que roubais e esmagais corações. Homenagem a vós, senhores da eternidade, possuidores da perpetuidade, não empolgueis este coração de Osíris Ani, este coração de Osíris, e não deixeis que más palavras se levantem contra ele; porque este é o coração de Osíris Ani, vitorioso, e pertence ao de muitos nomes, o poderoso cujas palavras são seus membros, e que mandou seu coração habitar em seu corpo. O coração de Osíris Ani é vitorioso, foi refeito diante dos deuses, ele conseguiu dominá-lo, não lhe falaram o que fez. Ele alcançou poder sobre seus próprios membros. O coração lhe obedece, ele é o seu senhor, tem-no em seu corpo, e jamais o perderá. Eu, Osíris, o escriba Ani, vitorioso na paz e triunfante na formosa Amenta e sobre a montanha da eternidade, ordeno-te que me obedeças no mundo inferior."

Wikicommons

Uma mulher ora ao deus Ra-Horakhty, que a abençoa com raios de sol

DE COMO NÃO DEIXAR QUE A CABEÇA DE UM HOMEM SEJA CORTADA E SEPARADA DELE NO MUNDO INFERIOR, DO PAPIRO DE ANI

"Sou o Grande, filho do Grande; o Fogo, filho do Fogo, cuja cabeça lhe foi restituída depois de cortada. A cabeça de Osíris não lhe foi tirada, e não lhe seja tirada a cabeça de Osíris Ani. Costurei-me; fiz-me inteiro e completo; renovei minha juventude; sou Osíris, senhor da eternidade."

DE COMO NÃO MORRER PELA SEGUNDA VEZ NO MUNDO INFERIOR, DO PAPIRO DE ANI

"Meu esconderijo está aberto, meu esconderijo está revelado. As Almas Imortais caíram na escuridão, mas o Olho de Hórus me fez poderoso e o deus Ap-uat amamentou-me como a uma criancinha. Escondi-me convosco, oh, estrelas que nunca diminuís! Minha testa é igual à de Rá; meu rosto está aberto; meu coração repousa no seu trono; tenho poder sobre a fala da minha boca; tenho conhecimento; na verdade sou o próprio Rá. Não sou considerado pessoa sem importância; e não me fará violência. Teu pai vive por ti, oh, filho de Nut; sou teu filho, oh, Grande, e vi as coisas ocultas que te pertencem. Fui coroado rei dos deuses, não morrerei pela segunda vez no mundo inferior."

DE COMO NÃO COMER IMUNDICES E NÃO BEBER ÁGUA SUJA NO MUNDO INFERIOR, DO PAPIRO DE NU

"Sou o Touro de dois chifres, e sirvo de guia nos céus. Sou o senhor das elevações dos céus, o Grande Iluminador que sai da chama, o que concede anos, o que se estende ao longe, o duplo deus-Leão, e foi-me dada a jornada do deus do esplendor. O que é abominação para mim, o que é abominação para mim, não o coma eu. Não coma eu imundice, e não beba água suja, e não receba uma rasteira e não caia no mundo inferior. Sou o senhor dos bolos em Anu, e meu pão está no céu com Rá, e meus bolos estão na Terra com o deus Sab, pois o barco Sectet e o barco Atet nos trouxeram da casa do grande deus que está em Anu. Afastei de mim meus companheiros e uni-me ao barco do céu. Como o que eles comem ali; vivo do que vivem ali; e como os bolos que estão na sala do senhor das oferendas sepulcrais, eu, o intendente da casa do intendente do selo, Nu, triunfante."

DE COMO SAIR À LUZ E ALCANÇAR VITÓRIA SOBRE OS INIMIGOS, DO PAPIRO DE LEPSIUS

"Salve, oh, tu que brilhas desde a Lua e emites luz de lá, que sais entre tuas multidões e andas por aí, deixa-me levantar, deixa que eu seja trazido para o meio dos Espíritos, e deixa que o mundo inferior se abra para mim. Eis que saí neste dia e tornei-me uma Alma Imortal; por conseguinte, as Almas Imortais me deixarão viver, e farão que meus inimigos me sejam trazidos em estado de miséria, na presença dos divinos príncipes soberanos. O divino *ka* de minha mãe descansará em paz por causa disso, e eu me erg-uerei sobre meus pés e terei um bastão de ouro, com a qual infligirei cortes nos membros do meu inimigo e viverei. As pernas de Sotis estão consolidadas, e eu nasci quando elas descansavam."

DE COMO OPERAR A TRANSFORMAÇÃO NO DEUS QUE EMITE LUZ NA ESCURIDÃO, DO PAPIRO DE ANI

"Sou o cinto do manto do deus Nu, que brilha e derrama luz sobre o que pertencia ao seu peito, projeta luz na escuridão, une as duas divindades combatentes, reside em meu corpo através do poderoso sortilégio das palavras de minha boca, ergue o que caiu [pois caiu o que estava com ele no vale de Abidos] e eu descanso. Lembrei-me dele. Apoderei-me do deus Hu em minha cidade, pois ali o encontrei, e levei cativa a escuridão pela minha força. Libertei o Olho do Sol quando ele empalideceu à chegada do festival do 15º dia, e pesei Sut nas casas celestiais com o Velho que está com ele. Provi Thoth do necessário no templo do deus-Lua para a chegada do 15º dia do festival. Apoderei-me da coroa Ureret; Maat, justiça e verdade, está em meu corpo; suas bocas são de turquesa e cristal de rocha. Minha propriedade fica entre as leiras que são da cor do lápis-lazúli; sou Hem-Nu, que projeta luz no escuro. Vim para emitir luz nas trevas, que se tornam leves e brilhantes. Projetei luz na escuridão e venci os crocodilos destruidores. Entoei louvores aos que moram na escuridão, ergui os que choravam e tinham escondido seus rostos e afundado na tristeza; e eles olharam para mim. Oh, seres, sou Hem-Nu, sou Hem-Nu, tornei leve a escuridão, cheguei, tendo dado cabo da escuridão, que se tornou leve deveras."

Wikicommons

Estátua de ba, em sua tradicional forma de pássaro

ORAÇÃO PARA A PRESERVAÇÃO DE UMA PIRÂMIDE, DA PIRÂMIDE DE PEPI II

"Oh, Temu-Khepera, quando te elevaste no pedestal caa, e brilhaste como o "'Grande no lugar de brilhar' em Het-ur em Anu, lançaste água na forma de Shu, cuspiste na forma de Tefnut, e colocaste as mãos atrás delas, e na verdade teu Duplo existe nelas. Oh, Temu, coloca tuas mãos atrás de Pepi Nefer-ca-Rá e o Duplo de Ppei Nefer-ca-Rá, que estás nele, florescerá enquanto durar a eternidade.

Oh, Temu, estende tua proteção a este Pepi Nefer-ca-Rá, a esta sua pirâmide, e guarda-a de todas as coisas más que possam advir-lhes, do mesmo modo com que estendes tua proteção a Shu e Tefnut.

Oh, Grande Companhia dos Deuses que habitam em Anu, Temu, Shu, Tefnut, Sab, Nut, Osíris, Ísis, Set e Néftis, oh, filhos de Temu, seu coração foi exaltado quando ele vos produziu em vosso nome de 'Pet', e quando o seu número 'Nove' estava sobre vós. Agora Temu protegerá este Pepi Nefer-ca-Rá, protegerá esta pirâmide de Pepi Nefer-ca-Rá, protegerá esta obra de todos os deuses e de todos os mortos, guardando de todas as coisas más que possam advir-lhes.

Oh, Hórus, este Pepi Nefer-ca-Rá é Osíris, e esta pirâmide de Pepi Nefer-ca-Rá é Osíris, e esta é a sua obra; não consintas que seja retirada dele, em seu nome de pirâmide, a longa duração que está em teu nome de Het-khen-ur, pois Thoth colocou debaixo de ti os deuses que saem e viajam pelo recinto murado e pelo Forte de Hórus, como fez para teu pai Osíris em seu nome de Het-at, pois Hórus te deu os deuses, e vos conduziu às salas, e eles iluminarão teu rosto nas Casas Brancas."

6

OS MITOS EGÍPCIOS

O POLITEÍSMO EGÍPCIO VÊ A REAÇÃO DO HOMEM AO MUNDO DE UMA FORMA EXTREMAMENTE COMPLEXA. OS PRÓPRIOS DEUSES TÊM NELE MAIOR IMPORTÂNCIA DO QUE OS MITOS ACERCA DELES, POR ISSO SUAS HISTÓRIAS NÃO POSSUÍAM UM ASPECTO TÃO RELEVANTE NA RELIGIÃO COMO, POR EXEMPLO, NA GRÉCIA ANTIGA

Alguns deuses eram definidos pelo mito, outros pela localização geográfica e pela organização em grupos. Quase todos estão basicamente associados a um aspecto do mundo: Rá ao Sol, Ptah aos ofícios, Hátor às mulheres etc. Mas isso não esgota as suas características. Em contextos específicos, muitos deuses podem exibir o mesmo aspecto, e, ao mesmo tempo, qualquer um pode tomar praticamente todas as características da divindade para qualquer fiel.

A forma da maioria dos textos religiosos egípcios exclui a narrativa e há dúvida se existiriam grandes textos que relatassem mitos completos. Dispomos de versões, do Império Médio, do Novo e do século IV, de episódios do conflito entre Hórus e Set pela herança de Osíris, mas o texto não é o mesmo em nenhuma delas e os episódios variam.

Os mitos da criação dão primazia ao deus-sol Rá. O mais generalizado em todo o Egito é aquele em que o criador surge do caos líquido, no cimo de uma montanha, primeira matéria sólida, e, masturbando-se ou cuspindo, cria um par de divindades, Shu e Tefenet. Shu e Tefenet, por seu turno, deram origem a Geb e Nut, a Terra e o céu, cujos filhos eram Osíris, Ísis, Set e Néftis. Esse grupo de nove divindades formava a enéade de Heliópolis.

O CICLO SOLAR

As ideias sobre o ciclo solar têm mais relevo entre os egípcios do que os mitos. Nelas, o deus-sol nasce de novo todas as manhãs, atravessa o céu na barca solar (sendo o barco o meio normal de transporte), envelhece, morre – o que nunca é afirmado explicitamente – e viaja pelo mundo dos mortos durante a noite, num ciclo de regeneração. Enquanto no mito da criação a deusa dos céus, Nut, é neta do deus-sol, neste ciclo ela é sua mãe, em cuja boca entra à noite e de quem nasce de manhã. Na altura do renascimento ela pode ser também Hátor, que é, de outro modo, designada por filha de Rá.

Esses temas podem gerar mitos, dos quais são conhecidos a “Destruição da Humanidade” e “Ísis e Rá”, que tomam como ponto de partida a velhice do deus-sol – um dos aspectos básicos do ciclo cosmográfico – e desenvolvem-no em termos da decadência física e das suas consequências para o reinado do deus no final da era primeva da Terra.

O ciclo solar deu origem a uma infinidade de concepções interligadas, sendo as mais notáveis relacionadas com o momento crucial do nascer do Sol. Na sua viagem pela noite o deus é acompanhado no seu barco por um grupo de divindades, a maioria das quais são personificações de aspectos do seu ser, com nomes como "poder mágico" e "percepção", sendo o barco puxado, em determinado ponto do percurso, por uma dupla de chacais.

Tanto a tripulação como o equipamento do barco variam em livros diferentes, à medida que se conhecem as composições mistas de representação acerca do mundo dos mortos. Quando o deus-sol emerge da noite, toda a criação se regozija e pode ser saudado por deuses e deusas, pelo rei, pelas "almas do oriente", por personificações de categorias da humanidade e por babuínos que o aclamam.

Wikicommons

A deusa Nut engole o Sol, que viaja à noite através do seu corpo para renascer na manhã seguinte

Divindades personificando províncias do Egito

AS TRÍADES

A organização dos deuses nas diferentes cidades egípcias é semelhante. O agrupamento mais comum é a tríade, compreendendo duas divindades adultas e uma jovem. As tríades são, contudo, apenas seleções, podendo outras divindades ter uma ligação vaga com o grupo ou trocar membros com ele. Assim, a tríade de Tebas compreende Ámon-Rá, Mut e Khons, divindades dos três principais templos de Karnak. Tem a forma de um grupo familiar, mas Mut não é mulher de Ámon-Rá, nem Khons é filho deles. Trata-se de três divindades locais com origens diferentes, associadas segundo um modelo familiar.

Em Mênfis, as quatro principais divindades, Ptah, Sakhmet, Nefertem e Sokar (o deus da necrópole), variavam de igual modo na sua associação: os primeiros três formam uma tríade, enquanto Sokar é muitas vezes identificado com Ptah. Hátor e Neith, cujo culto era importante em Mênfis, estão excluídas do grupo principal. Em Heliópolis o deus-sol, cujo culto se dividia nos de Rá e Áton, estava quase sempre só, mas adquiria duas companheiras femininas, personificações do aspecto sexual dos mitos da criação solar.

SINCRETISMO

Era comum, no Egito antigo, uma divindade adquirir um nome múltiplo, sobretudo ao tomar o nome e caráter de outra mais importante. Ámon-Rá é, assim, Ámon no seu aspecto de Rá, o que pode alargar-se para formar Ámon-Rá-Áton, Ámon como Rá e Áton, o aspecto envelhecido do deus-sol. Rá é de longe o nome mais comum em tal sincretismo – o que reflete o relevo do deus-sol e a sua importância em períodos primitivos.

Num caso um pouco diferente, em Abido, Osíris é identificado, como Osíris-Khentamentiu, com um deus local cujo culto foi talvez o original na zona. Tais associações nunca submergem completamente a identidade das divindades cujos nomes estão ligados. Esses deuses podem ser considerados divindades maiores. Quase todos tinham um culto e uma região onde eram soberanos.

Algumas divindades cósmicas, como Geb, não tinham culto local. Mas há também divindades menores, encontradas apenas em contextos restritos. As mais conhecidas são, talvez, Bes e Taweret, figuras “domésticas” associadas em particular ao nascimento. Ambas têm formas monstruosas, de um tipo que não se encontra entre as divindades maiores, sendo Bes um anão com um rosto enorme, tipo máscara, e Taweret um misto de hipopótamo e crocodilo, com seios robustos, aparentemente humanos, e um ventre enorme.

Além destes há uma infinidade de demônios, de que se encontram testemunhos em textos mágicos e funerários, com diversos nomes e, muitas vezes, formas grotescas. A maioria parece restringir-se a poucos contextos. A principal exceção é Apopis, uma serpente gigante, inimiga do deus-sol quando este passa pelas fases cruciais do seu ciclo, e que tem de ser derrotada por Set, que, na proa do barco solar, a transpassa com o arpão.

O MITO DE OSÍRIS

Um dos elementos mais importantes da mitologia egípcia é a história da morte e renascimento de Osíris, ao redor da qual giram os outros elementos da religião egípcia.

Num tempo distante, muito antes da construção das grandes pirâmides, o deus Osíris reinou sobre o Egito como o primeiro faraó. Foi uma época de felicidade e abundância. Ele e sua rainha, a deusa Ísis, ensinaram aos homens a agricultura e todas as outras artes. Seus súditos, contentes, eram gratos a eles e os veneravam.

Mas o irmão de Osíris, Set, o deus do mal, começou a sentir inveja do sucesso do faraó. Tramando sumir com o irmão e tomar seu lugar como imperador do Egito, Set convidou Osíris para um banquete. Mas era uma armadilha.

Set prendeu o irmão, amarrou-o e o colocou dentro de uma arca de madeira. Depois, jogou a arca no Rio Nilo, achando que os crocodilos dariam um jeito no indesejado Osíris.

O povo ficou muito triste com o sumiço do faraó. E conforme a lei, o trono do Egito passou para Set.

A fiel Ísis, porém, não perdeu a esperança de encontrar o marido e saiu a procurá-lo por todo o mundo.

Depois de muito viajar e muito buscar, Ísis finalmente conseguiu encontrar a arca onde Osíris estava preso. O rei de Biblos – uma importante cidade da Fenícia – a encontrara por acaso e a guardara no palácio. Ele não sabia o que ela continha, pois não tinha conseguido abri-la. Ísis contou ao rei de Biblos sobre o conteúdo da arca. Com seu poder, a deusa libertou Osíris.

Mas Set voltou a entrar em cena. Dessa vez, o invejoso deus do mal foi ainda mais cruel. Para se livrar de vez do irmão, matou Osíris e cortou seu corpo em 14 pedaços, os quais jogou no Rio Nilo.

Nem isso fez Ísis desistir. Com a ajuda de Anúbis, o deus com cabeça de chacal, protetor dos mortos, Ísis recuperou todos os pedaços do corpo de Osíris. Então, ela e Anúbis ressuscitaram Osíris. Para isso, fizeram a primeira múmia, a de Osíris, e executaram poderosos rituais que o reviveram.

Faltava agora recuperar o trono do Egito antes que Set devastasse o país ainda mais. Osíris, porém, só conseguiu isso através de seu filho Hórus.

Desde criança Hórus quis vingar seu pai. Quando se tornou adulto, levou o caso ao tribunal dos deuses, que decidiram a seu favor. Mas nem assim Set cedeu. Hórus foi obrigado a lutar com seu tio. No final ele conseguiu reconquistar o reino a que tinha direito.

Logo que o novo faraó tomou o trono, o país se cobriu de verde novamente, e seu povo voltou a ser feliz.

Osíris resolveu, então, partir para o Reino dos Mortos, onde continua a reinar.

A partir de então, os egípcios passaram a venerar cada um de seus faraós como Hórus, o deus falcão, e, depois de morto e mumificado, como Osíris, o Senhor dos Mortos.

7
SIMBOLISMO

OS SÍMBOLOS EGÍPCIOS RESISTIRAM AO TEMPO E CHEGARAM ATÉ NÓS, PRESERVADOS NA ARTE TUMULAR E RELIGIOSA. AINDA HOJE OCUPAM LUGARES DE DESTAQUE EM SOCIEDADES INICIÁTICAS E TRADIÇÕES DE SABEDORIA, COMO A MAÇONARIA

Os símbolos assumiam, no antigo Egito, a forma de amuletos de proteção e objetos usados em rituais de magia. Eram, na maior parte, relacionados aos deuses e tinham como atributos aspectos da vida cotidiana como a espiritualidade, a fecundidade, os sentimentos, a natureza, a política ou o poder. Seu uso na magia deveria garantir a realização da intenção. Os mais importantes estavam presentes no dia a dia das pessoas, usados como joias ou adereços representando os deuses ou os objetos associados a eles. Vivos e mortos usavam amuletos, pois garantiam proteção também para a vida além-túmulo. Eram feitos de diversos materiais, porém, o mais comum era a faiança.

CRUZ ANSATA

A Cruz da Vida, também chamada de *ankh* simboliza a eternidade e o dom da vida. Aparece, na iconografia sendo usada para conferir vida. De fato, o seu hieróglifo significa "vida ou vida eterna". As divindades são constantemente representadas segurando o *ankh* nas mãos.

Por conta desse aspecto, o símbolo é associado à deusa da fertilidade e maternidade Ísis e a Osíris, deus da vegetação e da vida no além. Desse modo, a cruz ansata representa a união dos princípios geradores do mundo: o feminino e o masculino. Era um dos emblemas do faraó, usado para garantir proteção, saúde e felicidade.

O *ankh* foi relacionado à cruz cristã e em alguns períodos os egípcios convertidos ao cristianismo utilizaram a cruz cristã e a "cruz de *ankh*" como símbolos da religião cristã. O *ankh* também significa "espelho de mão" e talvez fosse esta a representação mais próxima do amuleto: "refletir" a vida.

OLHO DE HÓRUS

O olho que o deus Hórus perdeu durante uma batalha, o "olho que tudo vê", simboliza a clarividência, além de simbolizar o poder, a força e a proteção espiritual. O amuleto protegia o portador contra doenças e garantia a vida. Ele era chamado de Udjat e estava ligado à regeneração, à saúde e à prosperidade.

De acordo com uma das versões do mito de Hórus, o deus falcão combateu seu tio Set.Na luta, Set arrancou um olho de Hórus, que mais tarde é regenerado por Thoth, o deus da escrita e que presidiu o tribunal na batalha entre Set e Hórus.

O olho de Hórus em um pingente

Havia dois tipos de Udjat, o olho direito, que representava o Sol, e o olho esquerdo, a Lua. Como outros amuletos, o olho de Hórus não servia apenas como proteção para a vida dos egípcios: ele era muito utilizado nos funerais, e no Livro dos Mortos há fórmulas de como invocar o seu poder.

FÊNIX

Símbolo de vida e da renovação, a Fênix renasce de suas próprias cinzas, depois de ser consumida pelo fogo. Associada ao ciclo do Sol, representa, igualmente, as revoluções solares. Como entidade solar, é um mito originário da Heliópolis, a cidade do Sol.

ESCARAVELHO

Um dos símbolos mais famosos dos antigos egípcios, o escaravelho sagrado remete ao deus egípcio do sol - Kepri - e surge em alguns mitos de criação como a imagem cíclica da imortalidade, uma representação da vida e da renovação da energia. Essa imagem deriva do fato de o escaravelho carregar bolas de estrume, assim como forças cósmicas movimentam o Sol, e de o inseto deixar seus ovos em vários animais, significando renascimento. Acreditava-se que ele protegia contra os maus espíritos e era, por isso, utilizado nos funerais para proteger o coração e a alma do morto.

PENA

Para os egípcios, a pena simbolizava a justiça, representando o peso mais leve, no entanto, necessário para interferir no equilíbrio da balança.

SERPENTE

Animal venerado pelos egípcios, a serpente simboliza os ciclos do tempo, o fogo, por conta de seu veneno, e a água, devido ao seu movimento ondulado, renovação, por trocar de pele, e também evocava proteção, saúde e sabedoria. Por causa desses atributos, a serpente era um talismã muito poderoso, presente em joias e adereços.

GATO

Os gatos estavam associados à deusa da fertilidade Bastet e eram venerados como um deus.

TYET

Muitas vezes confundida com a cruz ansata, uma vez que possui uma forma ovalada similar, o nó de Ísis – Tyet ou Tet – era um amuleto relacionado à deusa da fertilidade e da maternidade, Ísis. Era amarrado no pescoço do morto, a fim de lhe assegurar uma viagem protegida e segura ao submundo.

O nó de Ísis é relacionado ao sangue de Ísis e por isso geralmente tem a cor vermelha. Era frequentemente representado junto ao pilar de Osíris, ou Djed.

DJED

Também chamado de Pilar de Osíris, esse amuleto significa "estabilidade" e representa a coluna vertebral de Osíris. Aparece muitas vezes em sarcófagos, ali colocado para garantir estabilidade ao morto. Também tinha entre seus atributos o poder de conferir fertilidade e regeneração. Por isso, o djed era um amuleto popular também na vida cotidiana dos egípcios.

8
OS DEUSES EGÍPCIOS

O CULTO AOS DEUSES ERA EXTREMAMENTE IMPORTANTE PARA OS EGÍPCIOS. REPRESENTANDO DIVERSOS ASPECTOS DA NATUREZA, ESSAS DIVINDADES SÃO GLORIFICADAS ATÉ OS DIAS ATUAIS

Os deuses egípcios eram antropozoomórficos, isto é, tinham a forma de animais e de humanos - geralmente, mas nem sempre, de homens ou mulheres com cabeça de animais. Como era comum na Antiguidade, os mesmos deuses assumiam aspectos diferentes nas diferentes cidades onde eram cultuados. Eram deuses locais - ou, como no caso da Grécia, nacionais -, patronos das cidades que os celebravam. Assim, quando os reinos ao longo do Nilo foram unificados, novos deuses acabaram fundindo-se com outros, mais antigos. Isso também fez com que as consortes de certos deuses variassem de região para região e de era para era, originando lendas sobre os adultérios dos deuses.

Como acontece na religião hindu, os egípcios tinham inúmeros deuses e deusas, cultuados em diferentes locais. Alguns deles assumiram maior importância; outros eram celebrados apenas em alguns lugares. Ao longo de milhares de anos, o panteão egípcio foi sendo alterado, tornando-se extremamente complexo.

Para os egípcios, no princípio havia um ser supremo, eterno, imortal, onisciente, onipresente e onipotente. Esse princípio primordial, chamado de "neter", desdobrou-se em diversos aspectos, os neteru. A palavra nada mais é do que o plural de "neter". Os neteru têm, cada qual, atributos que regem e mantêm a ordem cósmica. Esses neteru são os deuses egípcios, criados a partir de tal princípio cosmogônico original, neter. Há os neteru primordiais (Nun, Atum, Amon, Aton, Rá, Ptah, Hu). Em seguida, há os neteru geradores (Shu, Tefnut, Geb, Nut). Há, ainda os Neteru de primeira geração (Osíris, Ísis, Set e Néftis), os neteru de segunda geração (Hórus, Hator, thot, Maat, Anúbis, Anuket, Bastet, Sokar, Sekhmet) e outros neteru menores (Mafdet, Nekhbet, Serket, Sobek, Meretseguer, Iah, Montu, Uadjit, Bes, Hapi). A antiga religião egípcia cultuava, ainda, deuses animais (Ápis, Ammit, Mnévis, Benu) e humanos deificados (Amenófis, Imhotep).

Os deuses egípcios pertenciam a famílias divinas, formando o que os gregos chamavam de enéades (ou *pesedjet*, em egípcio), isto é, um agrupamento de nove divindades, geralmente ligadas entre si por laços familiares. A mais importante eneáde era a de Heliópolis.

De acordo com a cosmogonia dessa cidade, no princípio existiam apenas as águas do abismo primordial, e Nun, das quais emergiu uma colina, sobre a qual encontrava-se um deus que tinha gerado a si mesmo, Atum. O deus masturbou-se e, de seu sêmen, nasceram outras divindades, Chu (o ar) e Tefnut (a umidade). O casal de irmãos, por sua vez, gerou Geb (a Terra) e Nut (o céu), que também se acasalaram e criaram Osíris, Ísis, Set, Hórus e Néftis, formando, assim, a primeira enéade. Outras enéades, como a de Abidos e a de Tebas, eram compostas não por nove deuses, mas por sete e 15, respectivamente. Havia ainda a “Pequena Enéade de Heliópolis” composta por Thot, Anúbis, Maet e Khnum.

OS DEUSES E SEUS ATRIBUTOS

Wikicommons

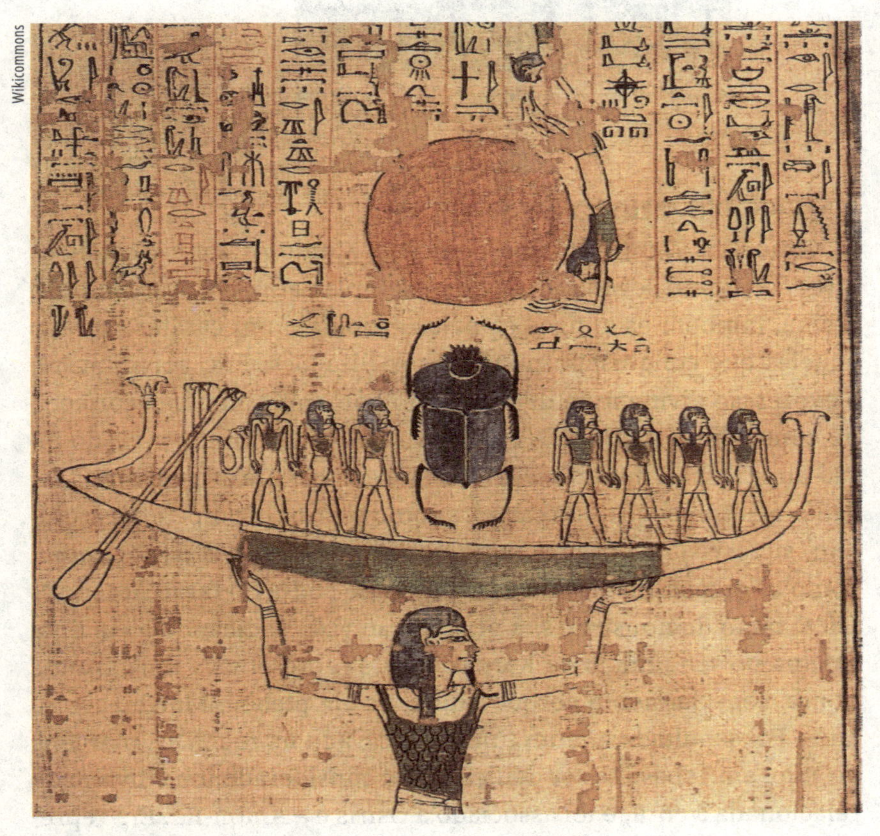

O nascimento do Sol, ilustração do Livro dos Mortos de Anhai

Wikicommons

Ammit, no Papiro de Ammut

AMENÓFIS (FILHO DE HAPU)

Amenófis é um humano deificado. Como os santos católicos que, por terem levado uma vida exemplar atingiram a condição divina, também os antigos egípcios atribuíam um caráter sagrado àqueles que conquistaram grandes realizações. Era, acreditavam, a expressão divina num determinado homem. Amenófis, conhecido como "filho de Hapu" (1440 a.C. - 1360 a.C.) foi um vizir do faraó Amenófis III durante a 18ª dinastia egípcia. De origem humilde, Amenófis começou a sua carreira como escriba. Competente arquiteto, supervisionou, entre outras obras, os Colossos de Memnon, como os gregos chamavam as estátuas de pedra do faraó Amenófis III. O faraó demonstrou sua gratidão ao vizir dedicando a ele uma estátua no seu templo de Karnak, o que representava uma grande honra, especialmente porque Amenófis era plebeu. Morreu aos 80 anos. Foi sepultado em um túmulo escavado na rocha, às margens do Nilo, em Tebas. Ao ser deificado, foi considerado uma divindade relacionada à cura, e foi associado a Osíris e a Amon-Rá. Era representado como um homem segurando um rolo de papiro.

AMMIT

O temível Ammit é a personificação da retribuição divina para todos os males realizados em vida. Era o cão do tribunal de Osíris, onde se realizava o julgamento final, quando o coração do morto era colocado na balança de Osíris, e o peso revelava seus atos em vida. Se a alma fosse má, era devorada por Ammit, deixando de existir para sempre. Foram encontrados papiros com orações para afastar Ammit durante o sono.

AMON

Amon, Ámon, Amun, ou em egípcio Yam nu, "O Oculto", era uma das principais divindades egípcias, o rei dos deuses e força criadora de vida. Deus originário de Karnak, tinha como consorte Mut, em quem gerara Khonsu. Seu principal centro de culto era Tebas.

Embora fosse identificado com o Sol, Amon era representado de várias formas diferentes: animal, corpo de homem e cabeça de animal, ou homem usando um barrete adornado com duas grandes plumas. Por vezes, era representado com ganso ou carneiro, animais a ele associados. Seus sacerdotes tinham a cabeça raspada e vestiam túnica branca com capa de pele de leopardo. Os sacerdotes de Amon chegaram a acumular tanto poder que o faraó Amenófis IV, mais tarde Akhenaton, substituiu o seu culto pelo de Aton. Não teve, porém, sucesso.

Wikicommons

Amon-Rá, no templo de Deir al Medina, o Palácio da Verdade

BasPhoto/ Shutterstock.com

Imagem de Anúbis no templo de Abidos

ANPUT

Anput é a esposa do deus Anúbis e mãe da deusa Kebechet.

ANÚBIS

O mestre dos cemitérios, cuja cabeça de chacal simboliza o animal que tem o hábito de desenterrar ossos, Anúbis é o nome grego do deus egípcio Inpu, associado com a mumificação e a existência após a morte, uma vez que auxiliou Ísis e Néftis no embalsamamento de Osíris, conferindo-lhe vida eterna. Todas as mumificações eram, por isso, presididas por Anúbis, o guardião das tumbas.

Anúbis é filho de Néftis, esposa de Set, que, durante uma briga com o marido, passou-se por Ísis e teve relações com Osíris, concebendo o deus chacal.

Anúbis cuidando de uma múmia

Anúbis é uma das mais antigas divindades da mitologia egípcia e seu papel mudou nos diferentes períodos da história dessa civilização. No Antigo Império, Anúbis era o deus dos mortos mais importante. Contudo, no Médio Império, cedeu lugar a Osíris. Sua função fúnebre continuou, porém. Era Anúbis que pesava o coração do morto contra a Pena da Verdade na balança de Osíris. E, se o coração fosse mais leve que a pena, era também ele quem guiava a alma dos mortos até o Além. Como foi Anúbis que embalsamou o corpo de Osíris, criando, assim, a primeira múmia e inventando o processo de mumificação, ele também era o deus do embalsamamento. Identificado com o chacal, os sacerdotes de Anúbis usavam máscaras de chacais durante os rituais que executavam.

Ele tem grande destaque no Livro dos Mortos, sendo um dos 42 juízes e responsável pela balança do coração. Além da cabeça de chacal, era representado segurando em suas mãos a Cruz de Ankh e o Cetro Was, como a maioria dos deuses era retratada. Também possuía peruca humana, objeto muito utilizado nas múmias após o sal drenar seus fluidos corpóreos. Em suas representações, Anúbis era pintado de preto, por ser escura a tonalidade dos corpos embalsamados. A esposa de Anúbis, seu aspecto feminino, é Anput e a sua filha é Kebechet.

AMONET

Amonet, identificada pelos gregos com a deusa Atena, era o aspecto feminino de Amon. Como seu consorte, seu nome significa "A Oculta". Ambos representavam o intangível, o oculto e o poder que não se extingue. Em algumas representações, Amonet aparece como uma mulher com cabeça de rã; em outras como uma vaca. Amonet desempenhava um importante papel nas cerimônias de coroação do faraó.

ANUKET

Anuket, ou Anukis, é a deusa associada às águas do Rio Nilo. O significado de seu nome é, como a água, que a tudo envolve, "aquela que abraça". Mais tarde, tornou-se uma deusa associada à sexualidade.

Esposa de Khnum, seu culto centrava-se na ilha de Sehel. Era representada como uma mulher usando um toucado ornado com plumas ou vegetais, ou, então, uma gazela – o animal que simboliza a suavidade e que era a ela associado. Os ptolomaicos a relacionavam à Héstia, deusa grega do lar.

APEP

Apep, ou Apófis, como os gregos a chamavam, é a gigantesca serpente inimiga de Rá, que o combatia toda noite, tentando destruir a barca do deus. Era inimiga declarada de todos os deuses e, por isso mesmo, execrada, ao invés de ser reverenciada, como símbolo da ignorância, personificação do caos e do mal. Quando ocorriam eclipses solares, era o corpo da serpente que tentava destruir o barco de Rá. Mas, embora Rá sempre a matasse, Apep, a serpente invariavelmente, ressuscitava. Servido por hordas de demônios em forma de cobras de fogo, Apep personifica o caos do submundo e a aniquilação resultante desse caos. Por isso, Apep é inimigo jurado dos deuses, os quais são sua contrapartida, uma vez que ordenam o cosmo.

Os egípcios acreditavam que, quando havia um Eclipse, era o corpo gigantesco de Apep que cobria a luz, ao tentar destruir a barca de Rá (como chamavam o Sol) e devorá-lo. Um mito tardio dá conta de que, no final, Rá prendeu Apep nas profundezas do Tuat com Bastet, a deusa gata, ou, em algumas versões, com Sekhmet, a deusa leoa, em uma luta brutal e eterna. Outras variações desse mito afirmam que o deus prendeu o inimigo em um mar de escaravelhos que há em Tuat.

ÁPIS

Ápis – Hapi-ankh, para os egípcios –, a personificação da Terra, era a encarnação de Osíris em um touro branco, o touro de Mênfis, simbolicamente representado como um touro branco ou, então, negro com um triângulo branco na testa.

ATON

Aton é um dos deuses egípcios mais importantes. É o disco solar, adorado pelo faraó Akhenaton, que impôs seu culto em detrimento do culto dos outros deuses, especialmente Amon.

Apesar de a mitologia egípcia ser caracterizada pelo politeísmo, nem sempre os egípcios cultuaram vários deuses.

Durante a 18ª dinastia, em meados de 1340 a.C., o faraó Amenófis IV resolve mudar de nome, o qual significava "Amon está satisfeito", para Akhenaton ("o espírito atuante de Aton"). O rei declarou-se

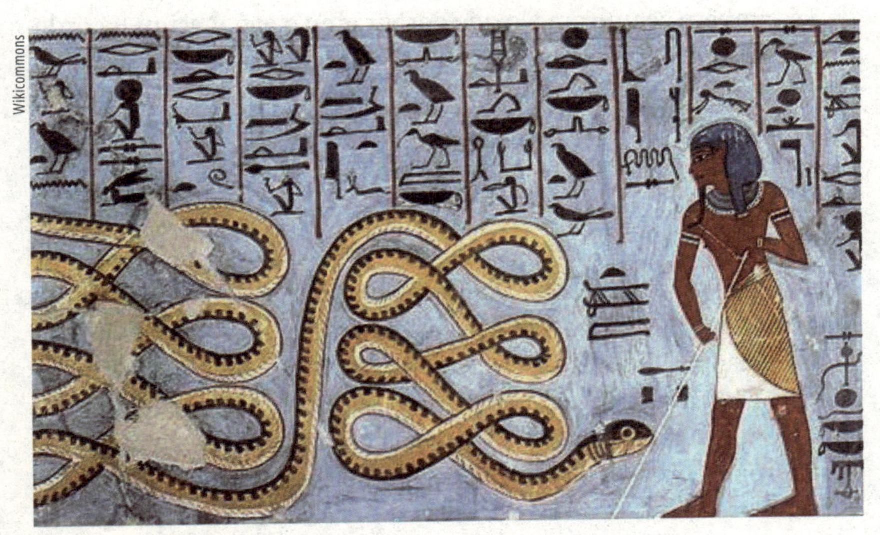

Wikicommons

A gigantesca serpente Apep, inimiga de Rá

filho de uma divindade una: Aton. Visava acabar com o politeísmo no Egito, desconsiderando todos os deuses.

Aton é representado de forma completamente diversa a todos os demais deuses. Não possui corpo humano ou qualquer tentativa de personificação, trata-se de um disco solar que dissipa seus raios, e nada mais.

Este já existia nas dinastias anteriores, porém era retratado como uma mera manifestação de Rá, longe de ser um deus, e, tampouco, uno.

Após o reinado de Akhenaton, os egípcios foram progressivamente retomando as práticas politeístas, declarando-o como inimigo em registros históricos.

ATUM

Atum, adorado em Heliópolis, é a transformação de Nun – o ser subjetivo – no ser objetivo. É Deus primordial e criador: foi ele quem provocou a explosão que gerou os demais entes do universo. Atum criou o sol da tarde e, quando "torna-se a si mesmo", transforma-se em Rá e se torna Atum-Rá. Este deus, por sua vez, gera sozinho os primeiros neteru, os gêmeos Shu (deus do ar) e Tefnur (deusa da umidade), e cria o sol da manhã. Então, criou o céu e a Terra e os separou. Os irmãos, por sua vez, uniram-se e tiveram um casal de filhos, Geb (deus da Terra) e Nut (deusa dos céus). Os netos de Rá também se uniram – o que desagradou o avô. Assim, Rá ordenou a Shu que ele separasse os filhos. Shu empurrou Nut para cima e pressionou Geb para baixo. Enquanto Nut se tornava o céu que cobre o mundo, Geb virou a Terra em que vivemos. Shu, o ar que respiramos, permaneceu entre os filhos.

BASTET

Bastet, a deusa felina, também chamada de Bast, Ubasti, Ba-en-Aset ou Ailuros, que, em grego significa "gato", é uma divindade solar, deusa da fertilidade e protetora das mulheres. Bastet é a personificação da alma de Ísis no mundo material, assim como Hórus representava Rá. A deusa era retratada com cabeça de gato, animal muito venerado no país, remetendo à beleza e à sexualidade. Em suas mãos, segura a Cruz de Ankh e o sistro, instrumento musical. Em algumas representações, tinha um cesto, onde colocava as

Wikicommons

Horemheb ajoelhado diante do deus Atum, no acervo do Museu de Luxor

crias, ou podia ser pintada ou esculpida como um simples gato. No Período Ptolomaico, os invasores gregos associaram Bastet a Ártemis, deusa da lua e das florestas. Por conta disso, Bastet passou a ser uma deusa lunar.

Por vezes, assume os atributos de Sekhmet, adquirindo o aspecto feroz de leoa. Como a deusa hindu Kali – o princípio feminino que gera tanto quanto destrói –, esse aspecto da deusa é, de fato, furioso. Certa vez, Rá ordenou a Sekhmet que punisse os homens por causa de sua desobediência. A deusa castigou a humanidade com tanta brutalidade, que Rá precisou embebedá-la, fazendo-a dormir, para que ela não acabasse exterminando toda a raça humana. As-

Bastet representada na forma de um gato

sim, Sekhmet adormecida é a gata, mansa e doméstica, e Bastet, seu outro lado.

Seu centro de culto era a cidade de Bubástis, no Delta do Nilo. Seus templos eram verdadeiros gatis, onde os gatos, considerados encarnação da deusa, eram tratados com toda atenção e cuidado. Quando os animais morriam, eram mumificados e enterrados em necrópoles próprias. Vários desses cemitérios de animais foram descobertos por arqueólogos.

BAT

Bat, a vaca, é uma das divindades mais antigas do panteão egípcio, cultuada desde o final do paleolítico, quando iniciou-se a domesticação dos animais, neste caso, de bois e vacas. Mas Bat também tinha aspecto antropozoomórfico. Por vezes, era retratada como face humana, orelhas e chifres de vaca. Na época do Império Médio, sua identidade e atributos foram incorporados pela deusa Hator.

Bat tornou-se fortemente associada com o sistro, um instrumento musical egípcio, muito usado em cultos e celebrações religiosas. O sistro tinha a forma semelhante ao *ankh* – a cruz ansada, hieróglifo que representa a palavra "vida", símbolo da vida eterna. O centro do seu culto era conhecido como a "Mansão do sistro".

BENU

Benu é uma divindade animal, a garça real. Seu nome deriva do verbo egípcio "brilhar", e a garça simbolizava o *ba* do deus Ré – o Sol, como Atum –, quando ele surgiu, no momento da criação do mundo. Inversamente, a ave também era vista como o *ba* de Osíris, quando o deus foi assassinado por Set. Os invasores gregos associaram Benu à fênix. Segundo eles, Benu surgia apenas a cada 500 anos e fazia uma fogueira na qual perecia e, das cinzas, tornava a surgir como uma nova ave.

BES

Bes, divindade do prazer e da alegria, era um anão gordo e monstruoso. Era o bobo da corte dos deuses. É o único membro do panteão egípcio representado de frente, em vez de perfil, como é regra na arte dessa civilização. Era associado ao parto e às crianças. Quando a mulher estava dando à luz, acreditava-se que Bes dançava, abanando o seu chocalho e gritando para assustar demônios que poderiam prejudicar a criança. Depois do nascimento, Bes ficava ao lado do berço entretendo o bebê. Quando a criança ria sem motivo aparente, dizia-se que Bes estava presente, fazendo caretas para alegrar o bebê.

GEB

Geb, ou Seb, o deus da Terra, filho de Shu e de Tefnut, marido de Nut e pai de Osíris, Ísis, Set e Néftis, é uma das divindades primordiais do antigo Egito. Estimulava o mundo material dos indivíduos e lhes assegurava o enterro no solo após a morte. Também era considerado um deus dos mortos, pois aprisionava espíritos maus. Como divindade telúrica, era responsável pela fertilidade e pelo sucesso das colheitas.

Geb estava sempre deitado sob a curva do corpo da sua esposa Nut, o céu. Um de seus atributos era aprisionar espíritos maus para que não pudessem ir para o céu. Por isso, era, igualmente, um deus da morte. Suas cores eram o verde – cor da vida – e o preto – a lama fértil do Nilo. É o responsável pela fertilidade e pelas boas colheitas. Associado ao ganso, animal que representa a migração e a transição, assim como a casa e o lar, era sempre representado com uma dessas aves sobre a cabeça. Também segurava uma Cruz de Ankh e o Cetro Was.

HAPY

Hapy, ou Hapi, uma divindade relacionada ao Rio Nilo e protetor da direção norte, era um dos quatro filhos de Hórus, que protegiam o trono de Osíris no Além-Mundo. Hapy é representado como um humano mumificado com cabeça de babuíno. É um dos vasos canopos, onde depositavam-se os órgãos da múmia. O vaso de Hapy guardava o pulmão.

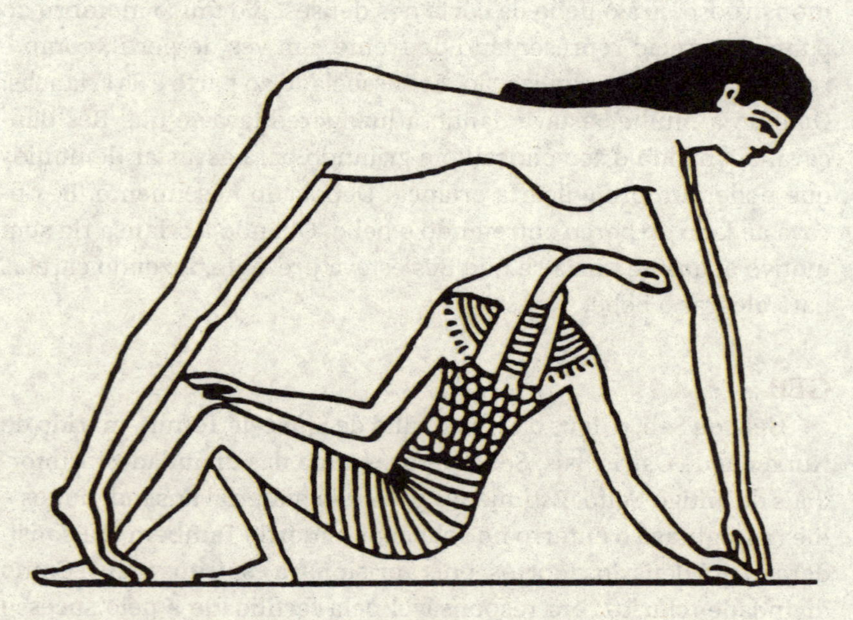

A deusa do Céu, Nut, e Geb, com cabeça de serpente

HATOR

Hator, ou "casa de Hórus", é uma das deusas de maior relevo no panteão egípcio. Hator personificava os princípios do amor, beleza, música, dança, maternidade e alegria. Seu aspecto maternal conferia-lhe o atributo de ser protetora das mulheres durante o parto e, também, a relacionava com a fertilidade feminina. A "Senhora do Ocidente", como era invocada nas sepulturas, era uma das divindades mais populares do Egito Antigo, cultuada tanto pela nobreza quanto pelas pessoas comuns. Era Hator quem recebia os mortos na além-vida.

O culto a Hator remonta ao período pré-histórico. Desde cedo, era representada como uma vaca divina, com um disco solar entre os chifres. Os gregos a identificavam como Afrodite e, em Heliópolis, Hator manifestava-se como Nebethetepet, a "senhora da oferenda".

Hator é mãe e, por vezes, filha e esposa de Rá. Em um mito ela surge como o olho de Rá. Como mãe de Rá, dava à luz a ele toda manhã e, como esposa, o concebia através da união com o deus todo dia.

Hator também era uma divindade celestial, associada à deusa Nut, com quem representava a Via Láctea. As quatro patas da vaca celestial eram os pilares sobre os quais o céu repousava, com as estrelas em sua barriga formando a Via Láctea, através da qual a barca solar de Rá – o Sol –, navegava. Um dos nomes alternativos de Hator, Mehturt, ou "grande enchente", fazia referência a essa associação com a Via Láctea, vista pelos antigos egípcios como um canal de água que cruzava o firmamento, o "Nilo no Céu", por onde navegavam tanto o Sol como a Lua. Esse atributo levou Mehturt a ser responsável pela inundação anual do Nilo. Outra consequência desse seu aspecto aquático era anunciar os nascimentos, quando o saco amniótico se rompe, liberando seu líquido – suas "águas".

Na fusão que se deu entre divindades cultuadas em tempos pré-históricos em diferentes regiões ao longo do Nilo, Hator também se identifica com outra vaca, antiga deusa da fertilidade, a vaca Bat. E, como Bat relacionava-se, também, ao *ba*, um dos componentes da alma, Hator acabou ligada à existência após a morte. Com seu aspecto maternal, Hator, em seu caráter de Senhora da Necrópole, recebia as almas dos mortos no Tuat – o submundo, onde Osíris reina –, e lhes dava comida e bebida.

O culto a Hator centrou-se em Dendera, no Alto Egito, e, devido à relação da deusa com a música, era oficiado por sacerdotisas e sacerdotes dançarinos, cantores e artistas.

Muitos atribuem a Hator a festividade, alegria, música e beleza, sendo chamada de "dama da embriaguez". Nesse aspecto, era cultuada ao som dos sistros, sagradas trombetas musicais agudas. Outra insígnia ligada à deusa é um colar, ou Menat de Hator, que consistia de cristais de turquesa e ouro, e sua função era dar sorte a quem o vestisse.

Wikicommons

O deus Hator (esquerda) e Bat flanqueiam o faraó Miquerinos, em estátua da quarta dinastia

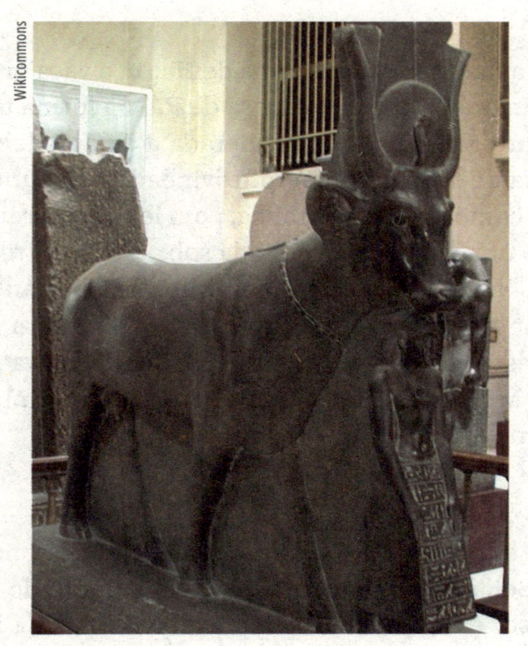
Wikicommons

A deusa Hator

Como deusa da alegria, era amada profundamente pelos egípcios de todas as classes, especialmente pelas mulheres, inspiradas por seus atributos de mãe, esposa e amante. Mais do que qualquer outra divindade egípcia, diversos festivais eram dedicados à sua honra e mais meninas recebiam o seu nome do que qualquer outra deusa. Como deusa da família, tanto homens quanto mulheres podiam servi-la como sacerdotes.

Outra alteração que Hator sofreu ao longo do tempo, devido à fusão entre as divindades de diversas origens, foi a incorporação dos atributos de Seshat, deusa da escrita, esposa de Toth. Quando assumia esse aspecto, era representada como uma mulher amamentando seu bebê. Como Seshat, Hator passou a ser, também, testemunha no julgamento das almas no Duat. Como ela recebe os mortos com alimento e bebida, ela também aparece como esposa de Nehebkau, guardião da entrada do mundo inferior e o elemento que, depois da morte, faziam com que o *ba* se unisse ao *ka*.

HESAT

Hesat era a manifestação terrena de Hator, a vaca divina. Como Hator, também era vista como esposa de Rá, na forma terrena desse deus, o touro Mnévis. Era considerada a ama de leite dos deuses, provedora de todo o alimento. Divindade da abundância, era representada como uma vaca branca, com leite escorrendo de suas tetas, levando uma bandeja de comida sobre seus chifres. Em algumas tradições, por ser provedora de alimento e, portanto, doadora de vida, Hesat era mãe da divindade que representava o princípio oposto, Anúbis, deus da morte. Assim, Hesat formava uma tríade familiar com Mnévis e Anúbis, que ocupava importante lugar nos cultos do Egito antigo.

HÓRUS

Hórus, "o elevado", é o deus que representava a manifestação do poder do Sol, sendo a encarnação de Rá no mundo material — tendo, por isso, em grande semelhança entre eles na iconografia egípcia. O deus com cabeça de falcão era filho de Osíris e de Ísis - e também esposo da mãe - era o senhor do céu, o espírito do faraó encarnado. Com seus pais, formava a sagrada família do Egito. Ísis, a mãe, provedora e mantenedora, Hórus, o Sol, o faraó, o governador que regula os ciclos da terra, e Osíris, o senhor do submundo, que presidia sobre a existência após a morte.

Em seu papel de vingador, foi Hórus que matou Set, não só para honrar a morte do pai, Osíris, mas para tomar o trono do Egito. Na luta, perdeu um olho, que foi substituído pelo amuleto da serpente, o Olho de Hórus, o qual os faraós passaram a usar em suas coroas. O olho ferido de Hórus, o esquerdo, é a Lua, com suas fases; o olho são é o Sol. O Olho de Horus era um importante símbolo, o Wedjat, que, além de garantir poder, afastava o mau-olhado.

Numa das versões da história de Hórus, o deus falcão foi concebido por Ísis, quando Osíris já estava morto. Ísis, na forma de um pássaro, pousou sobre a múmia do marido, sendo, assim, fecundada.

Representado com corpo de homem e cabeça de falcão, era aquele que irradiava luz aos olhos humanos. Segurava em suas mãos, como a maioria, uma Cruz de Ankh e o Cetro Was. Seus olhos direito e esquerdo refletiam o Sol e a Lua, respectivamente.

Por ser filho de Ísis, verdadeiro emblema materno, simbolizava o "filho ideal", protegia os jovens para que posteriormente se tornassem seres justos e de bem. No Livro dos Mortos era o mediador entre o morto e Osíris, como visto na Sala do Julgamento, e destruía o demônio-serpente Apep, defendendo o barco de Rá.

Hórus salvou a pátria do maligno Set, assassino de seu pai. Ao matar o deus da discórdia, tornou-se governador do país, unindo o Baixo e o Alto Egito. Era retratado com duas coroas: uma branca, superior, remete ao Alto Egito, enquanto outra vermelha, inferior, ligava-se ao Baixo Egito. É emblema, portanto, da luz que dissipa a escuridão, da sabedoria que incide na ignorância, do bem sobre o mal.

Durante a batalha, Set arrancou um olho de Hórus, símbolo egípcio extremamente famoso em todo o mundo contemporâneo. O olho de Hórus possuía poderes mágicos, tornando-se um dos maiores amuletos de proteção do Egito, trazendo saúde, prosperidade e sorte.

Hórus também é pai de Qebehsenuf, Imset, Duamutef e Hapi, deuses que armazenam alguns dos órgãos das múmias em vasos canopos.

Wikicommons

Hórus, em estátua da 18ª dinastia

HU

Hu é a divinização da primeira palavra, a palavra da criação, que Atum pronunciou quando ejaculou, ao se masturbar, no ato que criou a enéada – os nove deuses originais do Egito. Hu era, ocasionalmente, identificado com Thot e, no Egito ptolomaico, fundiu-se a Shu, o ar.

IAH

Iah, ou Aah, era o deus da lua, representado como um homem, trazendo o disco solar e a lua crescente sobre a sua cabeça. Também era associado à íbis e ao falcão e ao deus Thot e ao deus Khonsu. Vários membros da família real tebana, que expulsou os hicsos do Egito, traziam Iah em seus nomes, como Ah-hotep I ("Iah está satisfeito"), mãe de Amósis ("Iah nasceu"), fundador da 18ª dinastia, e sua esposa Amósis-Nefertari ("Nascida da lua, a mais bela das mulheres").

IMHOTEP

Imhotep é um personagem histórico que foi divinizado. Vizir do rei Djoser, da terceira dinastia, é tido como o primeiro arquiteto, engenheiro e médico da história antiga. De origem plebeia, a partir do Primeiro Período Intermediário, Imhotep também passou a ser reverenciado como poeta e filósofo. A localização da sepultura de Imhotep, construída por ele mesmo, foi escondida cuidadosamente e ainda hoje não foi descoberta. Acredita-se que esteja em algum lugar de Saqqara.

A existência histórica de Imhotep é confirmada por duas inscrições: uma feita no pedestal de uma estátua do faraó Djoser e a outra é uma referência a ele na muralha que circunda a pirâmide interminada de Sekhemkhet. A segunda inscrição sugere que Imhotep teria vivido mais alguns anos depois da morte de Djoser e que teria colaborado na construção da pirâmide do rei Sekhemkhet.

Provavelmente, a maior realização de Imhotep foi a criação e a construção da primeira pirâmide do Egito - a pirâmide de Saqqara, com seis enormes degraus e altura de cerca de 60 metros. Imhotep criou a pirâmide em degraus a pedido do faraó Djoser, que desejava ser enterrado no túmulo mais grandioso que jamais houvera no Egito. Imhotep realizou o projeto, incluindo a noção de uma "escada para o céu", representando a ascensão do faraó ao céu.

Wikicommons

Estatueta de Imhotep do Período Ptolomaico (330 a.C.)

ÍSIS

Ísis foi a deusa mais popular dentre as divindades femininas do Egito. Era irmã-esposa de Osíris, com o qual concebeu Hórus. Ísis, ou, em egípcio, seu nome era Auset, senhora misericordiosa, deusa da maternidade e da fertilidade, incorporava o modelo da mãe e da esposa ideais, protetora da natureza e da magia, consolo dos desvalidos, oprimidos, dos escravos, pescadores, artesãos, que, enquanto provedora de graças, também atendia os ricos, os aristocratas e os governantes.

A deusa era geralmente representada segurando seu bebê Hórus, simbolizando a maternidade e a arte de dar vida, vestida com um longo vestido branco, com o disco solar da sabedoria sobre a cabeça, e segurando a Cruz de Ankh. Nota-se, também, a presença de um abutre, animal que, por transmutar a morte em vida, era o símbolo egípcio da fertilidade.

Ísis também foi retratada como a figura de uma mulher com longas asas de abutre, aludindo ao ato de reviver Osíris, o qual apareceu algumas vezes nos desenhos da deusa. Durante as dinastias posteriores, as cheias do Rio Nilo eram atribuídas às lágrimas da viúva.

A deusa Ísis era filha de Geb, o deus da Terra, e de Nut. Irmã dedicada e esposa fiel, com suas habilidades mágicas, Ísis reuniu os pedaços de Osíris e devolveu a vida ao marido morto, depois de o deus ter sido assassinado e retalhado por Set.

Entre seus muitos atributos, Ísis era, também, a deusa da simplicidade, protetora dos mortos, das crianças, senhora da magia e da natureza. Em mitos posteriores, as cheias anuais do Nilo eram descritas como as lágrimas que Ísis derramara pela morte do marido. Tendo absorvido os atributos de diversas deusas egípcias e, quando seu culto difundiu-se no exterior, de outras nações, era conhecida como "Ísis dos Dez Mil Nomes".

Em *O Asno de Ouro*, obra em que o escritor romano Apuleio descreve os poucos conceitos das religiões de mistério que sobreviveram, Ísis apresenta-se ao personagem Lúcio, enumerando alguns de seus atributos: "Você me vê aqui, Lúcio, em resposta à sua oração. Eu sou a natureza, Mãe universal, senhora de todos os elementos, filha primordial do tempo, soberana de todas as coisas espirituais, rainha dos mortos, também rainha dos imortais, a manifestação única de todos os deuses e deusas que são; o meu comando governa as alturas brilhantes dos céus, a salutar brisa do mar. Embora eu seja adorada em muitos aspectos, conhecidos por nomes incontáveis, alguns me chamam de Juno, outros de Belona, os egípcios que se destacam no aprendizado e culto antigo me chamam pelo meu verdadeiro nome, Rainha Ísis."

A devoção a Ísis foi popular em todo o Egito, embora os santuários mais importantes fossem localizados em Guizé e em Behbeit El-Hagar, no delta do Nilo, origem provável de seu culto. A importância de Ísis atingiu sua proeminência no período final do império, e a deusa incorporou os atributos de outras deusas, às quais tinham centros de culto firmemente estabelecidos. Durante os períodos Helenista e Romano, seu culto difundiu-se para além das fronteiras do Egito, tanto no Oriente como no Ocidente. Mesmo em Roma, onde templos e obeliscos foram erguidos em sua homenagem, a fé nessa deusa egípcia era popular. Na ilha de Filas, no Alto Nilo, o culto a Ísis e Osíris persistiu até o século VI

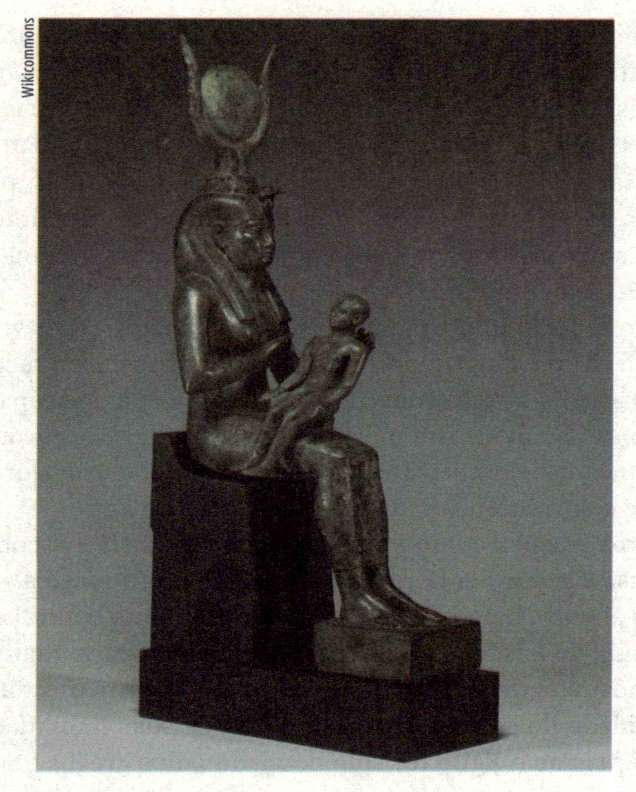

Ísis amamentando Hórus em sua forma humana, como o faraó (680 – 640 a.C.)

da nossa era, quando o cristianismo já estava bem estabelecido. Era o único templo pagão do Império Romano que havia sido poupado do Decreto de Teodósio (380 d.C.), que determinava a destruição de todos os templos pagãos. Por conta de um antigo tratado firmado entre os sacerdotes de Filas e o imperador Diocleciano (244 - 311 d.C.), esse templo pagão foi o último a ser fechado pelos imperadores cristãos.

A deusa também era padroeira dos Mistérios de Ísis, um dos mais significativos ramos das religiões de mistérios, associadas à morte e ao renascimento. Como consorte de Osíris, o Senhor dos Mortos, a deusa é associada à morte. Ísis também é mãe e esposa de Hórus, símbolo do faraó. Por isso, a deusa era vista como esposa, mãe e protetora do rei do Egito.

Um mito tardio conta que Ísis foi mãe adotiva de Anúbis. Essa versão atesta que Set negava um filho a Néftis. Para seduzi-lo, Néftis disfarçou-se como Ísis. O plano falhou, mas Osíris passou a desejar Néftis e, possuindo-a, nela gerou Anúbis.Com medo das represálias de Set, Néftis persuadiu Ísis a adotar Anúbis, para que a criança não viesse a ser descoberta e morta. Por ser filho do senhor do submundo e por viver com o pai, Anúbis tornou-se uma divindade do submundo.

Outro aspecto importante de Ísis é o de mãe – e, por vezes, esposa – de Hórus. Logo depois de tê-lo gerado no corpo reconstituído de Osíris, Ísis fugiu com o pequeno Hórus para escapar da ira de Set, o assassino de seu marido. De uma feita, Ísis curou Hórus de uma picada de escorpião. Sob a proteção da deusa, Hórus cresceu forte e enfrentou Set, tornando-se faraó do Egito.

Por realizações como a ressurreição de Osíris e a concepção de Hórus, Ísis é a Senhora da Magia.De fato, a mágica – a qual também envolve o poder de cura – é um elemento central em toda a mitologia de Ísis, possivelmente mais do que para qualquer outra divindade egípcia. O domínio da magia era um dos fatores da popularidade do culto de Ísis. Por causa de suas habilidades mágicas, depois de o Egito ter sido ocupado pelos gregos e pelos romanos, Ísis tornou-se a mais importante e poderosa divindade do panteão egípcio.

No antigo céu do Norte da África, a estrela Spica ("Alpha Virginis") surgia acima do horizonte na época da colheita do trigo e, por isso, foi associada a divindades da fertilidade, como Hator. Ísis viria a ser vista como essa estrela, devido à posterior fusão de seus atributos com os de Hator. Da mesma forma, Ísis também assimilou atributos de Sopdet, personificação da estrela Sirius, que surge no horizonte um pouco antes da cheia do Nilo. Outro símbolo de Ísis é a rosa. O fato de essa deusa ter sido tão popular tornou a produção de rosas uma importante atividade em todo o Egito.

Entre as muitas representações dessa deusa, Ísis era retratada como uma mulher com um vestido longo e coroada com o hieróglifo que significava "trono". Também era retratada trazendo um lótus ou sob um sicômoro. Quando assimilou os atributos de Hator, Ísis passou a ser retratada coroada com as insígnias de Hator: os chifres de uma vaca, com o disco solar entre eles.Às vezes, também era representada como uma vaca ou uma cabeça de vaca.Era, porém, quase sempre representada com o seu filho pequeno, Hórus (o faraó), usando uma coroa ou tiara de abutre – um dos animais com os quais era relacionada.

OS NOMES DA DEUSA

O Livro dos Mortos faz referência a Ísis por diversos títulos. Abaixo, alguns deles:

- Aquela que dá origem ao céu e à Terra
- Aquela que conhece o órfão
- Aquela que procura justiça para os pobres
- Aquela que procura abrigo para as pessoas fracas
- Rainha do céu
- Mãe dos deuses
- Aquela que é todos
- Senhora das plantações verdejantes,
- A mais brilhante no firmamento
- Stella Maris
- Grande senhora da magia
- Senhora da casa da vida,
- Aquela que sabe fazer o uso correto do coração
- Doadora da luz do céu
- Senhora das palavras de poder,
- Lua brilhante sobre o mar

Wikicommons

Ísis em seu aspecto de protetora de Osíris

KEBECHET

Kebechet (Qeb-hwt), filha de Anúbis, deus egípcio da morte e dos moribundos, era deusa do frescor e da purificação pela água e, por isso, regia os líquidos do embalsamamento. Era Kebechet quem dá água para os espíritos dos mortos, enquanto esperavam que o processo de mumificação fosse concluído. Kebechet era representada como uma serpente – um símbolo relacionado ao princípio feminino, ou como uma mulher com a cabeça de uma cobra. Por vezes, embora mais raramente, foi retratada como avestruz.

KHEPRI

Khepri, ou Kheper, é uma das principais divindades egípcias. Associado ao escaravelho, que, ao rolar bolas de estrume, é comparado às forças que fazem mover o Sol, Khepri gradualmente veio a ser considerado como uma encarnação do próprio Sol, assumindo um dos aspectos solares. De acordo com os mitos, ele era responsável por "rolar" o Sol – o carro de Rá – para fora do Tuat, no final da jornada noturna do deus, provocando seu renascimento diário. Por isso, Khepri foi identificado como uma faceta de Rá, seu aspecto como o Sol que rompe a madrugada. Assim, Rá incorporava o disco solar, Khepri o Sol nascente e Atum o Sol poente

Devido à característica do escaravelho de depositar ovos nos corpos mortos de animais, inclusive nos de outros escaravelhos, os antigos egípcios relacionavam Khepri à morte e ao renascimento.

KHNUM

Khnum, o deus com cabeça de carneiro, originário do sul do Egito e da Núbia, remonta à época pré-dinástica. Khnum é um deus criador que representava os aspectos que geravam a vida e que contribuía com outros deuses para regular as enchentes do Nilo. Também estava ligado à criação dos seres humanos, fabricando seu corpo e seu *ka* em seu torno, com lama do Nilo. Khum formava diferentes enéades em diferentes cidades. Em Elefantina, Khnum formava uma tríade com as deusas Satis e Anuket. Em Esna, a enéade incluía, além dele, Satis e Neit.

Uma antiga lenda da época ptolomaica, gravada numa inscrição feita numa rocha de granito que se encontra na parte sul da ilha de Sehel, no Rio Nilo, a "estela da fome", conta a origem do seu culto.

Wikicommons

O deus Khnum acompanhado da deusa Heket, no Templo de Dendera, Egito

Segundo o relato, no reinado do faraó Djoser, Khnum impediu as águas do Nilo de fluírem, causando uma fome de sete anos. Buscando reverter a situação, Djoser fez oferendas a Khnum. Então, a divindade surgiu num sonho do faraó e pediu que continuasse a honrá-lo convenientemente.

KHONSU

Khonsu era um deus associado à lua. Seu nome significa "viajante", uma referência às viagens noturnas da lua no céu. Com Tot, ele incorporava a passagem do tempo. Seu animal sagrado era o babuíno, considerado um animal lunar pelos antigos egípcios. Normalmente, é representado como uma múmia com o símbolo da infância, um cacho de cabelo. Por vezes, é retratado com cabeça de falcão, como Hórus, com quem Khonsu está associado como protetor e agente de cura.

MAAT

Maat é a deusa da justiça e da verdade, e era cônjuge de Thoth. É graças a esta deusa que a lei de causa e efeito ocorre, promovendo a ordem nos reinos através dos faraós.

Sempre retratada com pena de avestruz em sua cabeça, ícone da verdade, Maat também segurava a Cruz de Ankh e o Cetro Was. Possuía longas asas, parecidas com as de Ísis.

Sua passagem no Livro Egípcio dos Mortos é extremamente significativa: antes do morto ingressar à Sala do Julgamento, deveria ser aprovado nos 42 Mandamentos de Maat, que talvez sejam os escritos que mais refletem sobre a moral da sociedade egípcia. Após ser aprovado, seu coração, pesado por Anúbis, deveria ser mais leve do que a pena de Maat, tornando-se maa kheru [ou maat kheru]: "aquele cuja palavra é justa e verdadeira".

O Egito não era um país com leis bem descritas, mas Maat atuava na ética e moral do ser humano. Maat personificava o princípio responsável pela manutenção da ordem cósmica e social. O equilíbrio do

Wikicommons

Maat, com a pena da verdade enfeitando seus cabelos

universo, o relacionamento entre suas partes constituintes, o ciclo das estações, os movimentos celestes e observações religiosas, bem como negociações justas, honestidade e confiança nas interações sociais são regidos por essa deusa. Os princípios de Maat eram parte integral da sociedade egípcia e garantia de ordem pública. Os fundamentos de manutenção da ordem, seguidos pelos egípcios em obediência a Maat, tornaram-se a base da lei do antigo Egito. Se a harmonia cósmica fosse perturbada, isso refletiria na vida do indivíduo e, muitas vezes, no destino do Estado. Por conta disso, um mau rei poderia trazer fome ao povo. Assim, desde os primórdios da civilização egípcia, o rei é descrito como "Senhor de Maat", que decretava com sua boca a Maat que concebia em seu coração. Cabia ao Faraó aplicar e fazer cumprir a lei, para permitir a manutenção do equilíbrio cósmico. Alguns faraós chegavam a ostentar o título de *Maat-Meri*, ou "amado de Maat", enfatizando o seu papel na defesa das leis da harmonia universal.

Como Senhora da justiça, era Maat que validava o julgamento das almas. Representada como uma jovem mulher, Maat traz na cabeça uma pluma de avestruz, a pena de Maat, a qual ela colocava na balança para pesar o coração do morto no julgamento de Osíris.

Por ser um deus civilizatório, instaurador de leis e de conhecimento, Tot, patrono dos escribas, é marido de Maat. Num antigo texto, Tot é descrito como "aquele que revela Maat e reconhece Maat, que ama e dá Maat para o criador". Todos deveriam viver de acordo com os preceitos de verdade e justiça de Maat.

Maat era irmã de Isfet, a deusa do caos, seu oposto. Juntas, equilibravam os aspectos positivo e negativo do universo.

MAFDET

Como Maat, Mafdet era deusa da pena capital, associada à justiça e ao poder real. Em cenas do Novo Império ela é vista como o carrasco das criaturas malignas. Mafdet arrancava o coração dos malfeitores, colocando-o aos pés do faraó, da mesma forma que os gatos fazem quando deixam aos pés do dono os roedores ou pássaros que caçaram. Assim, Mafdet relaciona-se ao aspecto punitivo da justiça. Contudo, além desse aspecto feroz, Mafdet tinha igualmente uma faceta protetora. Ela afastava os animais peçonhentos, vistos como transgressores da lei de Maat. Nesse seu aspecto, era chamada de "Senhora da Casa da Vida", em referência ao local onde se curavam os doentes no Antigo Egito.

Mafdet é representada como um felino, uma mulher com cabeça de felino ou um felino com cabeça de mulher. Em algumas imagens, tem os cabelos trançados de forma que as pontas terminam em caudas de escorpião.

Mais tarde, seu culto e seus atributos foram incorporados pelas deusas Bastet e Sekhemet.

MNÉVIS

Como Ápis, Mnévis era um dos bois sagrados do antigo Egito, um animal negro adorado como divindade na cidade de Heliópolis. Associado ao deus Atum-Rá, seu culto foi instituído na 2ª dinastia, embora, provavelmente, tenha sido adorado desde tempos pré-dinásticos. Foi cultuado por todos os faraós, até mesmo por Akhenaton, que tinha proibido o culto a qualquer deus, exceto Aton. Como Aton se manifestava em Mnévis, o faraó permitiu que esse deus continuasse a ser cultuado.

Wikicommons

Estela de Mnévis como touro (século XII a.C.)

Nos templos a Mnévis, seus sacerdotes mantinham um boi sagrado, cujos movimentos eram interpretados como um oráculo. Depois da sua morte, o touro era mumificado, seus órgãos eram colocados em vasos canopos e o animal sagrado era sepultado numa necrópole destinada a esse fim, perto de Heliópolis.

MERETSEGUER

Meretseguer era a deusa serpente. Durante o Novo Império, essa deusa tornou-se guardiã dos túmulos, acreditando-se que ela atacava aqueles que tentavam pilhá-los. Vivia numa montanha em forma de pirâmide, próxima da aldeia onde habitavam os construtores dos túmulos reais durante o Novo Império. Ela atacava os trabalhadores que cometiam crimes ou mentiam, castigando-os com a cegueira ou com picadas venenosas, ao mesmo tempo em que curava os que se arrependiam. Quando os faraós pararam de construir seus túmulos monumentais no Vale dos Reis, na 21ª dinastia, o seu culto, que nunca ultrapassou o âmbito local, entrou em decadência.

MESKHENET

Meskhenet era a deusa do parto. Entre seus atributos, Meskhenet moldava o *ka* de todos os que iriam nascer, assegurava o nascimento e decidia o destino de cada ser que nascia. Essa deusa também estava presente no julgamento das almas, quando o coração era pesado contra a pluma de Maat. Se a alma fosse pura, Meskhenet assistia o ingresso da pessoa na vida além-tumba. Por ser esposa de Herichef, deus da fertilidade, também incorporava o atributo do marido.

MONTU

Montu é o deus da guerra do panteão egípcio, normalmente representado como um homem com uma cabeça de falcão, ornada com duas plumas e um disco solar. Nos primeiros tempos da civilização egípcia, era representado com cabeça de boi. Montu era um deus do Sol, associado a Ré (Montu-Ré), que representava o aspecto destrutivo do calor do Sol. A partir da 11ª dinastia, Montu assumiu os atributos de deus da guerra. Quatro faraós dessa dinastia – estabelecida em Tebas, o maior centro do culto desse deus – chamaram-se Mentuhotep, isto é, "Montu está satisfeito", em homenagem a essa divindade. Os gregos, que dominaram o Egito a partir do século IV a.C., associaram Montu a Ares, seu deus da guerra.

MUT

Mut era a segunda esposa de Amon e mãe adotiva de Khonsu. Na 18ª dinastia, quando o culto de Amon se tornou popular, Mut substituiu a primeira mulher dessa divindade, a deusa Amaunet. Era representada como uma mulher usando um vestido vermelho ou azul, envergando a serpente ureus e a dupla coroa do Alto e Baixo Egito. Por vezes, era também representada com uma cabeça de leoa.

NEFERTUM

Nefertum, ou Nefertem, era uma divindade solar cujos atributos também se relacionavam aos perfumes. Por conta desse aspecto, seu símbolo era a flor de lótus. Filho dos deuses Ptah e Sekhmet, forma com eles uma das mais importantes tríades do Egito antigo. Com o tempo, Nefertum foi incorporado por Hórus, formando uma

Wikicommons

Estátua de Nefertum em exposição no Louvre

Wikicommons

Néftis, a deusa da magia

entidade única. Era também visto como a manifestação do deus Atum criança, que saiu da flor de lótus surgida no monte primordial que emergiu das águas. É representado, por vezes, com uma cabeça de leão ou como um jovem com uma coroa em forma de lótus, ornada por duas plumas, sentado sobre uma flor que desabrocha. Às vezes, aparece sobre um leão, portando um sabre.

NÉFTIS

Néftis, a senhora das sombras, é irmã de Ísis. Seu nome egípcio, "Nebt-ha", significa "senhora da casa", em referência à casa para onde o Sol retorna no fim do dia, isto é, os céus noturnos. Na iconografia, é muito difícil distinguir Néftis de Ísis, pois ambas são representadas com as mesmas características, coroadas com a cabeça de abutre e o disco solar entre os chifres do Sol na cabeça. Por isso, ambas são divindades que distribuem vida plena e felicidade.

Néftis é esposa de Set, mas teve um filho com Osíris – o deus Anúbis. Contudo, há diferentes versões sobre as relações entre esses deuses. Por vezes, Néftis é citada como esposa de Osíris, enquanto Ísis é tida como esposa de Set. Apesar de ser a consorte de

Set, não é má como o marido. Junto a Ísis, ela lamentou o assassinato de Osíris e zelou pelo corpo do deus morto. Por conta disso, era vista como a guardiã dos mortos. Ela preside os momentos finais da vida, mas para levar o morto com bondade.

Tanto Néftis como Ísis eram chamadas de "Deusa Mãe" e retratadas com o corpo de uma mulher segurando uma Cruz Ankh, além da presença do abutre nas imagens. Os egípcios encaravam-na como um aspecto necessário ao equilíbrio do Universo, conferindo-lhe presença nos sarcófagos para ajudar os mortos no submundo. Vale ressaltar que a deusa divorciou-se de Set após este assassinar Osíris. Certo dia, após uma discussão com Set, vestiu-se como Ísis, a fim de seduzir Osíris. O deus trai Ísis imaginando que tratava de sua esposa, e deste adultério nasce Anúbis.

NEKHBET

Divindade originária da cidade de Nekheb, no Alto Egito, hoje El-Kab – seu nome significa justamente "Aquela de Nekheb" –, protegia os nascimentos, em especial o dos reis. Alguns faraós traziam uma imagem sua na coroa, pois acreditavam que o amuleto tinha o poder de repelir os inimigos do soberano. Na iconografia, era representada como um abutre,como uma mulher com cabeça de abutre ou como uma mulher com a coroa branca do Alto Egito (hedjet).

NEITH

Neith, ou Nit, é a deusa da guerra e da caça, criadora de deuses e homens, divindade funerária e das invenções. Seu culto já existia no Período Pré-dinástico, celebrada como escaravelho, depois foi deusa da guerra, da caça e deusa inventora. Firmicus Maternus escreve em seu livro *The Error of the Pagan Religions*, que Platão afirmou que na cidade de Saís, a deusa grega Atena fundia-se a Neith, pelos atributos da guerra e da tecelagem, e tinham um mesmo animal simbólico, a coruja. Neith também é protetora dos mortos, pois foi quem inventou o tecido, usado tanto pelos vivos, como no sudário dos mortos.

NUT

Nut, o céu, era uma das mais importantes divindades egípcias. Filha de Shu, o ar seco, e de Tefnut, a umidade e as nuvens, é mãe de Osíris, Set, Ísis e Néftis, dando-os à luz em um único parto. Com o seu corpo alongado, coberto por estrelas, abraça Geb, o deus da Terra. Dessa forma, forma o arco da abóbada celeste que se estende sobre a Terra.

Antes do julgamento dos mortos de Osíris, o falecido tinha que entrar no corpo dela após a morte antes de ser ressuscitado, contribuindo para que na grande maioria dos sarcófagos encontrassem representações da deusa.

Na iconografia egípcia, era muitas vezes representada como uma vaca, ou, então, por uma mulher trazendo o disco solar sobre a cabeça.

OSÍRIS

Osíris, ou Ausar, em egípcio, era uma das principais divindades do antigo Egito. Filho de Geb e de Nut – a Terra e o céu –, deus da vegetação e da vida no Além, o culto a Osíris remonta aos primórdios da civilização. Marido de Ísis e pai de Hórus , era o juiz das almas, na "Sala das Duas Verdades", onde o coração do morto era pesado.

Osíris é o personagem que mais aparece no consagrado *Livro dos Mortos*, pois era quem determinava se o falecido iria aos Campos de Hetep ou não. Era o emblema egípcio da ressurreição, re-

Wikicommons

A deusa Nut com as asas abertas, em detalhe de sarcófago (século VI a.C.)

cebendo um sem-número de cultos na história do país. Também apareceu muito no *Texto das Pirâmides* e no *Texto dos Sarcófagos*.

A geração de Osíris é a primeira da árvore genealógica dos deuses egípcios a não ser uma força da natureza. Ele era rei, esposo e pai, representando a sociedade egípcia, além do primeiro faraó do Antigo Egito.

O deus do julgamento dos mortos era representado tanto como homem mumificado, ostentando a coroa branca e segurando emblemas da soberania, quanto como trajado para uma cerimônia (como visto na Sala do Julgamento), tal como viveu na Terra. Seu aspecto conectado à morte, contudo, evoca a ideia de ressurreição, o paradoxo do início através do fim, símbolo de ciclos.

Nos primeiros tempos, Osíris representava as forças da terra e das plantas. E como todo deus da vegetação, ele era associado à morte e ao renascimento. Os primeiros agricultores criaram seus mitos a partir da observação do ciclo das plantas. Como o morto, a semente retirada da planta que foi ceifada é enterrada para nascer novamente. A ideia da vida eterna se desenvolveu a partir de então. Assim, Osíris era divindade que encarnava a terra egípcia e a sua vegetação, destruída pelo sol e a seca, mas sempre ressurgida pela ação das águas do Nilo. Era um deus bondoso que sofre uma morte cruel e que assegura a vida e a felicidade eterna a todos os homens e mulheres. Osíris também era uma divindade civilizatória, ensinando aos seres humanos os conhecimentos necessários à civilização, como a agricultura e a domesticação de animais. Por causa dessas características, seu culto se difundiu por todo o Egito, e Osíris ab-

Wikicommons

Osíris presidindo o julgamento da alma do escriba Hunefer (19ª dinastia)

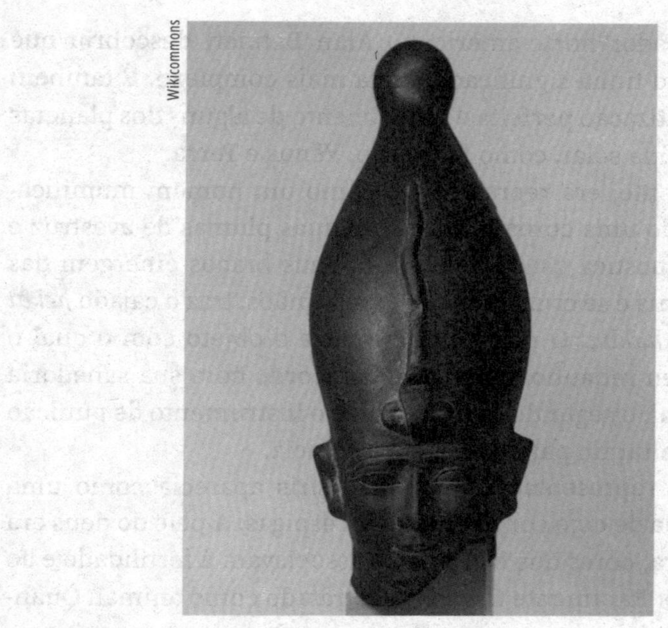

Wikicommons

Cabeça de Osíris (século VI a.C.)

sorveu os atributos das divindades que incorporava, modificando-se, assim, através do tempo.

O mito de Osíris é a base da arte da mumificação. Ao ser mutilado em vários pedaços por seu irmão Set, teve-os espalhados por todo o Egito. Suas irmãs Ísis e Néftis resolveram reunir todas suas partes, procurando incessantemente por todo o país. O único órgão que não conseguiram encontrar foi o pênis, o qual foi comido por peixes, sendo substituído por caule vegetal, através da magia de Ísis.

As deusas se reuniram ao deus chacal Anúbis, a fim de realizarem a primeira mumificação, unindo todas suas partes. Ísis transformou-se em uma ave, e ao provocar ventos mágicos com suas asas, desperta Osíris, tornando-o senhor dos mortos. Apesar de serem irmãos, procriaram um filho, o deus-falcão Hórus.

O objeto mais utilizado para representar Osíris é o Pilar de Djed, pois foi retirado por Ísis do palácio de Bibos, onde uma de suas partes situava-se. O pilar representava a coluna vertebral do deus, e, posteriormente, serviu de amuleto aos ritos fúnebres, sendo colocados próximos às colunas vertebrais dos defuntos, permitindo-o viver eternamente.

O pesquisador norte-americano Alan Bennett descobriu que o Pilar de Djed tinha significado ainda mais complexo. É também uma esquematização perfeita do movimento de alguns dos planetas do nosso sistema solar, como Mercúrio, Vênus e Terra.

Normalmente, era representado como um homem mumificado, envergando uma coroa branca com duas plumas de avestruz e com a barba postiça usada pelo faraó. Seus braços emergem das faixas da múmia e se cruzam no peito; nas mãos, traz o cajado *hekat* e o açoite *nekhakha*. O primeiro simboliza o objeto com o qual o pastor toca seu rebanho, guiando-o de acordo com sua sabedoria transcendental; o segundo, por sua vez, é o instrumento de punição àqueles que faltaram para com a ética egípcia.

Em outra representação comum, Osíris aparecia como uma múmia deitada de cujo corpo emergiam espigas. A pele do deus era verde ou negra, cores que os egípcios associavam à fertilidade e ao renascimento. Raramente Osíris era retratado como animal. Quando isso acontecia, o deus aparecia como um touro negro, um crocodilo ou um grande peixe.

Os principais centros de culto a Osíris eram Abidos e Busíris. Em Abidos, todos os anos, realizava-se uma procissão na qual a barca do deus era levada pelos fiéis, em celebração da vitória do deus sobre os seus inimigos. Como Osíris havia sido retalhado por Set, os locais onde o culto dessa divindade era relevante afirmavam possuir partes do corpo do deus. Osíris foi também adorado fora do

Wikicommons

Ptah

Egito, em várias cidades do Mediterrâneo, mas nunca nas dimensões que alcançou o culto da sua irmã e esposa, Ísis.

Durante o mês egípcio de *Khoaik*, outubro-novembro, celebrava-se os "Mistérios de Osíris", quando episódios do mito eram ritualizados. Para os egípcios, foi nesse mês que Ísis reencontrou as partes do corpo de Osíris.

PTAH

Ptah (a pronúncia provável é "Pitaḥ") é o deus dos artesãos e arquitetos, equivalente ao deus grego Hefesto. Era membro d a tríade de Mênfis, com sua esposa Sekhmet e seu filho Nefertum. Apesar de Ptah ser um deus local da cidade de Mênfis, foi adorado por todo o Egito.

Também era tido como o pai do vizir Imhotep, que projetou a pirâmide em degraus de Saqqara. O deus construtor Ptah está associado às obras em pedra. Mais tarde, foi combinado com Seker e Osíris, criando a entidade Ptah-Seker-Osiris. Marido de Sekhmet e, por vezes, de Bastet, é pai de Nefertem, Mihos, Imhotep e Maahes. Nos papiros encontra-se Ptah desenhado como homem mumificado segurando a Cruz de Ankh e o Cetro de Was, aludindo ao seu poder eterno.

Muitas vezes é confundido com Rá, sendo citado como o criador dos mundos, mas não há indícios arqueológicos que comprovem isso. Egiptólogos, como E.A. Wallis Budge, afirmam que Ptah viveu no mundo material como artesão, sendo venerado como o "Criador das Artes".

RÁ

Entre todos os deuses egípcios, inclusive Osíris, pode-se dizer que Rá, também chamado de Tem, Temu, Tum e Atem, é a maior divindade de toda a mitologia egípcia, chegando a ser chamado de "Deus dos Deuses", os quais foi ele próprio quem criou.

O mito egípcio da criação do mundo refere-se a este deus, pois ele, ao criar o mundo, esforçou-se tanto ao ponto de derramar lágrimas e suor, banhando o solo e originando toda a fonte de vida terrestre. Fez surgir o homem e a mulher, nascendo a usual expressão "rebanho de Rá" para designá-los, dando todo o calor do Sol, ar fresco, e fluxo de água do Rio Nilo para eles desfrutarem.

As reverências ao deus-sol prosperaram de tamanha forma que duraram dois milênios, aproximadamente, e existem desde os períodos pré-dinásticos.

Rá é a unidade homogênea de tudo aquilo que há e não há, que deixou de existir ou jamais existirá; o senhor absoluto, enfim, de toda a realidade universal.

Era representado como um homem com cabeça de falcão — animal que simboliza a liberdade, a fim de evocar à mente o ato de voar — sob um disco solar. O círculo que se situa acima da cabeça do deus representa tanto a sua iluminação quanto antena de toda a sabedoria.

De todos os pássaros conhecidos pelos egípcios, o falcão é o que melhor enxerga. Uma figura humana com cabeça deste animal é o ser que tudo vê, porém de forma que transcende o entendimento irracional dos animais. Enxerga qualquer um dos detalhes da vida.

Além de sua forma, há também outros atributos a serem observados. Uma de suas mãos segura uma Cruz de Ankh, amuleto

Wikicommons

A deusa Imentet e Rá, na tumba de Nefertari (19ª dinastia)

de proteção frequentemente utilizado, que traduz a vida eterna. Também chamada de "Cruz Ansata", possui a forma tradicional de uma cruz, porém com o topo em formato circular. Por lembrar o formato de uma chave, muitos egiptólogos afirmam que ela abria os portais do mundo espiritual.

A outra mão segura um cetro was, que remete ao poder e à dominação. Este objeto é retratado em figuras de vários deuses, aludindo à sua força divina.

O deus era frequentemente ilustrado, também, com um obelisco, reproduzindo os raios de Sol petrificados.

Rá era entendido sob quatro formas, associadas aos quatro períodos do dia: de manhã, nasce no leste, retratado com cabeça de escaravelho, chamado de "Khepri"; ao início da tarde, sob a forma de um pássaro voando ou navegando num barco; ao fim da tarde representado por um homem idoso que descia ao mundo dos mortos; à metade da noite era caracterizado por um pássaro que direcionava-se ao leste, a fim de reiniciar o ciclo, tendo, contudo, que vencer Apep, criatura com forma de serpente, o que sempre acontecia, infinitamente.

O principal centro de culto a Rá era Heliópolis, como os gregos chamavam a Inun, ou "Local dos Pilares", dos egípcios. Rá era associado ao deus solar dessa cidade, Atum, tornando-se Atum-Rá. Com o tempo e em alguns lugares, Rá também fundiu-se a Hórus, formando Ré-Horakhty, ou "Rá, que é o Hórus dos Dois Horizontes", entidade soberana de todas as partes do mundo criado – o céu, a Terra e o mundo inferior.

Amon-Rá fundou a Enéade de Heliópolis, ou Pesedjet, compondo um conjunto com outras oito divindades: o deus do ar seco Shu e a deusa da umidade Tefnut, pais de Geb, deus da Terra, e Nut, deusa do céu, os quais originaram Osíris, Ísis, Néftis e Set.

Em uma das histórias sobre Rá, a humanidade trama contra o deus. Para punir os filhos rebeldes, Rá enviou seu olho, encarnado na deusa Sekhmet. Mas Sekhmey foi muito violenta na sua vingança e acabou tornando-se sedenta por sangue humano. Rá só conseguiu detê-la embebedando-a.

Como Hórus, Rá também é associado com o falcão ou o gavião e encarna, igualmente, no touro Mnévis. O culto ao touro sagrado de Rá também teve seu centro em Heliópolis.

Wikicommons

Sekhmet do templo de Mut, em Luxor, hoje no acervo do Museu Nacional, em Copenhagen

SATET

Satet era a deusa das plantações e da harmonia que possibilita a vida no meio ambiente. Assim, Satet representava a necessidade da afinidade com o ambiente para a realização da criação. Como outros deuses, ela também era responsável pelas inundações do Nilo.

SEKHMET

Sekhmet, assim como Tefnut, é uma deusa retratada com cabeça de leoa, embora seus significados sejam muito distintos. A cabeça de leoa, neste caso, representa a agressividade contida na punição de Rá aos malfeitores. Ela própria é a causadora das doenças, mas também traz cura para os males que ela mesma causa.

Sekhmet é a protetora de Rá e do faraó. Associa-se a Hator, sendo, de fato, o aspecto vingativo dessa deusa. De acordo com essa tradição, Hator abraçou Rá, absorvendo sua força, e, com a forma de uma leoa, desceu à Terra para destruir a humanidade que tramava contra o deus. Paradoxalmente, também é patrona dos médicos, pois traz a cura para os males que ela própria disseminou.

Esposa de Ptah e mãe de Nefertem, o centro de seu culto era na cidade de Mênfis. Era representada na iconografia como uma mulher coberta por um véu e cabeça de leão.

SERKET

Serket , filha de Rá, a deusa escorpião da mitologia egípcia, era quem trazia a cura para as picadas de escorpião. Sua representação mais comum é a de uma mulher trazendo na cabeça um escorpião de cauda erguida, pronto para picar. Em algumas representações mais raras, Serket aparece como um escorpião com cabeça de mulher, ou como serpente.

É uma deusa cultuada desde os primórdios da civilização egípcia. Acredita-se que o Rei Escorpião teria venerado essa deusa. Nos primeiros tempos, não possuía as características benéficas que viria a adquirir mais tarde. Era a mãe, ou, por vezes, esposa, do deus serpente Nehebkau, protetor da realeza e que vivia no mundo dos defuntos. Devido a essa associação, Serket era vista como guardiã de uma das quatro portas do mundo subterrâneo, prendendo os mortos com correntes. Quando Nehebkau tornou-se uma divindade benéfica, Serket seguiu o mesmo caminho.

Como Ísis, Néftis e Neit, Serket guardava os órgãos dos mortos armazenados nos vasos canópicos. Serket protegia Kebehsenuef, um dos quatro filhos de Hórus, que relacionava-se com os intestinos. Em seu aspecto de deusa fúnebre era a "Senhora da Bela Mansão", sendo esta mansão a casa onde se realizava o processo de mumificação.

SERÁPIS

Serápis foi uma divindade que surgiu a partir do sincretismo entre deuses egípcios e helênicos. Por esse motivo, seu principal templo localizava-se em Alexandria, cidade fundada por Alexandre, o Grande, quando ele conquistou o Egito. Sob o faraó helênico Ptolomeu Sóter (366 - 283 a.C.), general de Alexandre e fundador da dinastia Ptolomaica, diversos esforços foram feitos para integrar a religião egípcia com a de seus soberanos helênicos. Uma estátua antropomórfica foi criada e proclamada oficialmente como equivalente ao deus egípcio

Serápis, em ilustração do final do século XIX

Ápis, extremamente popular. Chamado inicialmente de Aser-hapi (ou seja, Osíris-Ápis), tornou-se Serápis. Assim, do lado egípcio, o deus incorporava aspectos de Osíris e, do lado grego, relacionava-se a Dionísio. Serápis é representado como homem de idade madura e semblante grave, usando barba e longos cabelos. O seu atributo é a corbelha sagrada, símbolo da abundância, e a serpente de Asclépio, uma vez que ele era, igualmente, um deus que trazia a cura.

SECHAT

Sechat era a deusa das ciências, patrona da escrita, astronomia, arquitetura e matemática e dos profissionais dessas áreas. O seu nome significa "a que escreve" e era também chamada de "Senhora dos Livros" e de "Senhora dos Construtores". Estava presente no panteão egípcio desde a época tinita (2920 a 2575 a.C). Já na 2ª dinastia é celebrada na cerimônia da fundação dos templos e no ritual de "esticar a corda", quando a deusa, por meio de um sacerdote, presidia os cálculos necessários à construção de um novo templo.

Como deusa da escrita e do conhecimento, estava associada a Tot, aparecendo em algumas tradições como esposa desse deus. Enquanto Tot representava o conhecimento oculto, esotérico, Sechat representava o conhecimento exotérico, cognoscível. Sua irmã era Mafdet, deusa da justiça.

Normalmente, Sechat era representada como uma mulher vestida com uma pele de leopardo, usada pelos sacerdotes nos ritos funerários, com a cabeça ornada com uma planta de papiro estilizada ou então uma estrela. Nas mãos, trazia uma cana e uma paleta, instrumentos usados pelos escribas em seu trabalho.

SET

Set, ou Seth, era o espírito do mal, deus da violência e da desordem, da traição, do ciúme, da inveja, do deserto, da guerra, dos animais e serpentes. Irmão de Osíris e de Ísis, era marido e irmão de Néftis. Set começou a causar o mal já ao nascer, quando rasgou o ventre de sua mãe, Nut, para sair. Originalmente, porém, auxiliava Rá em sua eterna luta contra a serpente Apófis, encarnação do caos. Nesse sentido, Set era originalmente visto como um deus bom. Contudo, com o desenvolvimento do império e a fixação de fatos históricos em mitos, Set passou a personificar o usurpador, aquele que tudo fazia para conseguir o controle dos deuses e ficar no lugar de seu irmão Osíris.

A partir dessa tradição, Set invejava muito a posição de Osíris, o qual governava todo o Egito. Set, revoltado por governar as terras áridas dos desertos, resolve fazer um plano para assassinar seu irmão privilegiado, auxiliado por 72 conspiradores.

Certo dia, em um jantar, Set apresentou uma caixa-sarcófago aos convidados, dizendo que a daria a quem coubesse nela. O que Osíris não sabia é que as medidas da caixa eram exatamente compatíveis com Osíris, projetadas pelo seu irmão. Todos tentam entrar na caixa, mas não conseguem, com exceção, obviamente, de Osíris.

Quando Osíris entra no sarcófago, imediatamente os conspiradores o trancam e atiram a caixa nas águas do Rio Nilo. A correnteza do rio leva-o às margens do Mar Mediterrâneo.

A então viúva Ísis desespera-se e sai à procura do corpo de seu marido. Após encontrar, esconde-o em uma plantação de papiros, mas Set, irado, encontra o sarcófago e esquarteja Osíris em 14 pedaços, espalhando-os por todo o Egito.

Ísis, símbolo da esposa perfeita, não desiste. Reúne-se à sua irmã Néftis, que se divorciou de Set após os atos terríveis, em busca das partes de Osíris. Ao finalmente encontrá-los, os une, praticando a primeira mumificação com o auxílio de Anúbis.

Set conseguiu vencer Osíris, passando a ser governador de todo o Egito, enquanto seu irmão governava o reino dos mortos. Mas Hórus vinga a morte de seu pai, assassinando o cruel Set.

Depois, assumiu o trono do Egito. Quando Hórus, filho de Osíris, reivindicou o trono, Ísis se transformou numa bela jovem para seduzir Set e assim conseguir sua confissão diante da enéade (a família de deuses) de que na verdade o seu filho Hórus era, de fato, o herdeiro por direito ao trono de Osíris. No final, Hórus, termina por matar Set.

Há histórias que registram a traição de sua esposa Néftis, que teve um filho com Osíris, o deus Anúbis.

Set era associado a vários animais, como o cão, crocodilo, porco, asno, escorpião e hipopótamo, uma criatura destrutiva e perigosa. Como os bois eram usados para debulhar cereais e amassar grãos, os quais, acreditavam os egípcios, continham o deus Osíris, vítima recorrente de Set, esse animal também era associado ao deus do caos. Uma representação comum de Set era uma entidade parte asno, parte porco. Também era retratado com corpo de homem e cabeça de aparência bizarra, devido à mescla entre animais diferentes: o asno de pelo avermelhado simbolizava tanto o deserto quanto a ignorância e o porco era associado à imundice.

SHU

Shu, ou Chu, é uma divindade primordial, deus do ar seco, da força masculina, calor, luz e perfeição. Juntos, Shu e sua esposa Tefnut, deusa da umidade e das nuvens, geraram Geb e Nut – a Terra e o céu. Shu é, também, quem traz a vida com a luz do dia. É, igualmente, o criador das estrelas, nas quais os seres humanos se transformam depois da morte. Os ventos de Shu eram os "sopros da vida", os quais direcionavam as pessoas aonde precisassem chegar.

É representado como um homem usando uma grande pluma de avestruz na cabeça, representado geralmente pisando sobre seu filho Geb (a Terra) com os braços levantados segurando sua filha Nut (céu). Em suas mãos, assim como Rá, também segura o Cetro de Was e a Cruz de Ankh, simbolizando, respectivamente, o poder e a vida eterna.

Wikicommons

Estátua do Período Tardio (séculos V a III a.C.), mostra a fusão de Sobek com Rá

SOBEK

Sobek, ou Sobeku, era o deus-crocodilo dos antigos egípcios, ligado ao culto do Rio Nilo, da divinização da água, aos seus poderes de fertilidade e proteção da gravidez. Por caçar e consumir carne, também era relacionado à morte. Em seu aspecto negativo, associava-se a Set. Sobek, em forma de crocodilo, foi quem devorou o coração de Osíris, ligando o deus réptil a uma ideia de terror e aniquilamento. Em contrapartida, tinha, igualmente, um aspecto solar. Como o Sol, que todos os dias se eleva no céu trazendo o dia, também o crocodilo sai da água. Assim, Sobek acabou sendo associado ao deus primordial Ré (Sobek-Ré) e a Osíris ressuscitado.

Era representado como um crocodilo ou, então, como um homem com cabeça de crocodilo, ostentando uma coroa ornada com duas grandes plumas, o disco solar e uma ou mais uraeus – serpentes sagradas. Seus principais centros de culto eram em Fayum e Kom Ombo, numa região onde aqueles répteis eram muito abundantes na época do Egito faraônico. Nos templos dedicados a Sobek, havia, muitas vezes, um tanque com crocodilos sagrados, que eram mumificados depois da morte.

SOKAR

Sokar, Seker ou Sokaris era um deus funerário, representado como um falcão ou como um homem mumificado com a cabeça desse pássaro ostentando a coroa branca do Alto Egito. A partir da 5ª dinastia, foi identificado com Ptah, deus principal de Mênfis, originando uma nova entidade, Ptah-Sokar. Devido ao seu atributo de deus da morte, foi também associado a Osíris, transformando-se num dos aspectos desse deus. Os "Textos das Pirâmides", inscrições feitas nas paredes das primeiras pirâmides, em Saqqara, relatam que Sokar era visto como Osíris, depois de este ter sido assassinado pelo seu irmão Set.

Por conta da sua identificação com Ptah, Sokar era patrono dos artesãos. Era esse deus que elaborava os perfumes utilizados nas cerimônias dedicadas aos deuses. Contudo, Sokar tinha, igualmente, um aspecto sombrio. Era o guardião da porta de Tuat, o mundo subterrâneo, onde vivia em uma caverna chamada Imhet. De acordo com algumas tradições, alimentava-se do coração dos mortos.

Uma procissão anual acontecia em Mênfis, no dia 26 de *Khoiak* – mês que corresponde a outubro/novembro. O deus era levado nos ombros de 16 sacerdotes, na sua barca sagrada, *Henu*. A consorte de Sokar era Sokaret, que tinha os mesmos atributos funerários. Por vezes, a deusa Sekhemet surge como consorte de Sokar.

SOPDET

Sopdet é a personificação de Sothis, provavelmente a estrela Sirius. De fato, o nome dessa deusa faz referência ao brilho de Sirius - a mais brilhante da noite. É representada na iconografia como uma mulher com uma estrela de cinco pontas sobre a cabeça. Como a inundação do Nilo acontece quando Sirius aparece no céu, em julho, Sopdet foi identificada como uma deusa da fertilidade do solo. Sopdet é o consorte de Sah, a constelação de Orion, e o planeta Vênus era, por vezes, considerado seu filho. Com o tempo, Orion acabou identificada como um aspecto Hórus. Por isso – e por ela ser uma divindade de fertilidade –, também foi identificada como uma manifestação de Ísis.

TATENEN

Tatenen era o deus do monte primordial que surgiu das águas do caos, no início do mundo criado. Era, portanto, uma divindade da criação. Tatenen representava a Terra e era relacionado às mastabas e, posteriormente, às pirâmides, uma vez que esses monumentos funerários também eram vistos como o monte primordial ou uma escada que levava aos céus – o reino de Hórus. Seu pai era o deus Khnum, que o criou numa roda de oleiro com lama do Nilo.

Segundo o escritor C.J. Bleeker, em seu livro *Religions of the Past*, era visto como "fonte dos alimentos, das oferendas divinas e de todas as coisas boas". Seu reino eram as regiões profundas sob a terra, "de onde tudo surge" – plantas, águas e minerais. Era a personificação do Egito e era, igualmente, um aspecto do deus da Terra Geb. Como muitos deuses egípcios, Tatenen assistia os mortos em sua jornada para o além-vida.

Originário de Mênfis, onde era cultuado desde períodos arcaicos, fundiu-se, no Antigo Império, com outro deus dessa cidade, Ptah, formando a divindade Ptah-Tatenen.

TEFNUT

Tefnut, ou Tefnet, é uma deusa da criação, relacionada à cosmogonia egípcia. Filha de Rá, irmã e esposa de Shu, mãe de Geb e Nut e avó de Osíris, Ísis, Set e Néftis. Ela personificava a umidade e as nuvens e seus atributos são a generosidade e também as dádivas e, enquanto seu irmão Shu afasta a fome dos mortos, ela afasta a sede. Na iconografia, aparece com forma de humana com cabeça de leoa, felino que simbolizava a força na cultura egípcia. Situava-se, assim como Rá, sob um disco solar, remetendo à sua sabedoria. Próximo ao disco situava-se a serpente Uraeus — animal que representa a proteção. Também segurava o Cetro *Was* e a Cruz de Ankh.

Wikicommons

Tefnut, representada no Livro dos Mortos

Assim como seu cônjuge, parece não ter tido qualquer espécie de culto ou templo destinado a ela. Contudo, é indiscutível sua importância na árvore genealógica dos deuses egípcios.

TOT

Tot, ou Thot, o deus com cabeça de íbis, rege a escrita, a ciência, o conhecimento e a magia. Seu centro de culto era Hermópolis. Os invasores helênicos relacionaram Tot ao seu deus Hermes e, desse sincretismo, nasceu uma entidade civilizatória, Hermes Trimegisto, o "Três Vezes Grande". Considerado em seu tempo o mensageiro dos deuses, Hermes teria dado ao povo egípcio os preceitos da civilização, com suas ciências e cultura.

Também teria sido Hermes quem implantou a oculta tradição sagrada, seus rituais e os próprios Mistérios de Ísis e Osíris. Os gregos afirmam que Hermes legou 42 livros sagrados, entre os quais o Livro dos Mortos do antigo Egito. Ele também fundou escolas de sabedoria anexas aos santuários maiores, onde os sacerdotes ensinavam medicina, astronomia, astrologia, botânica, agricultura, geologia, ciências naturais, matemática, música, arquitetura, escultura, pintura e ciência política. Hermes seria, assim, um verdadeiro civilizador.

Wikicommons

Imagem do deus Tot nas paredes do templo de Hórus

Grande conhecedor da matemática, Tot é considerado o pai da geometria. A arte da escrita, arquitetura, do calendário de 365 dias, foi, segundo crenças egípcias, criada por esta divindade.

Não se sabe ao certo quem foram os pais de Thot. Era representado como homem com cabeça de íbis, ave que tanto representava a Lua, por conter plumas brancas e negras, quanto a sabedoria, visto que o animal se alimentava de gafanhotos e répteis com mordida mortal. Thot é, portanto, o deus lunar.

O deus escriba é visto na Sala do Julgamento, ao lado da balança de Anúbis, anotando tudo o que ali acontecia.

Thot compreendia todas as fórmulas do Universo, sendo atribuído, pois, ao conhecimento e às ciências. Era representado com cabeça de babuíno, apesar de menos usual do que a de íbis. O primata remete, provavelmente, ao aprendizado.

TUERIS

Tueris, "A Grande", era a deusa da fertilidade e protetora das embarcações e das grávidas. Também foi uma deusa celeste, a "Misteriosa do Horizonte". Tueris ajudou Hórus em sua luta contra Set. Era filha de Rá e a mão direita de Ísis e Osíris. Por conta de seu atributo de fertilidade, era representada na arte egípcia, como uma figura antropozoomórfica grávida, de pele negra, cabeça de hipopótamo, com chifres e disco solar, patas de leão, cauda de crocodilo e seios muito grandes. Também aparecia na iconografia como uma porca.

UADJIT

Uadjit é a deusa da vegetação, padroeira do Baixo Egito – a região do Delta do Nilo. O nome significa "A verde", numa alusão à planta do papiro, criada por essa deusa e dada como dádiva à humanidade. Uadjit teve papel relevante no ciclo mitológico egípcio ao ser a ama de leite de Hórus, quando Ísis lhe confiou o filho, escondendo-o nos pântanos do Delta para fugir do assassino usurpador Set.

Era representada como mulher com cabeça de serpente, ostentando a coroa vermelha, símbolo do Baixo Egito. Quando o artista aludia ao seu aspecto de defensora da realeza, Uadjit era retratada como uma mulher com cabeça de leoa. Também era simbolizada por uma serpente alada ou uma cobra enrodilhada em um cesto de papiros.

UEPUAUET

Uepuauet, ou Upuaut, era um deus tardio, uma divindade da guerra, cujo culto era centrado em Assiut, no Alto Egito. Uepuauet era o batedor, aquele que vai à frente do exército abrindo e limpando caminho. Por isso mesmo, aparece na iconografia como um lobo na proa de um barco solar. Tornou-se um símbolo do faraó, sendo visto como protetor do rei. Nesse seu aspecto, um de seus atributos era acompanhar o soberano nas caçadas.

Como era um batedor, uma entidade da guerra, Uepuauet também tinha função fúnebre, guiando as almas dos mortos através de Tuat, o mundo do além-vida. Ele também assistia no ritual da abertura da boca, quando o sacerdote libertava, nesse ato ritual, a alma do defunto. Devido à semelhança com o chacal e seu aspecto de divindade da morte, foi associado a Anúbis e, em alguns locais de culto, era tido como filho desse deus. Em outros, era filho de Set.

Na iconografia, era representado como lobo – por vezes, chacal –, de pelo branco ou cinza, ou era retratado como homem com a cabeça desses animais, vestido e equipado como soldado, armado com uma maça e um arco.

Wikicommons

Por causa do seu atributo de Tueris de protetora dos nascimentos, estatuetas de hipopótamo feitas de faiança como esta eram colocadas em tumbas e templos para ajudar o falecido a renascer bem em sua existência após a morte